ALTIN
KİTAPLAR

YAYIN HAKLARI
© CANAN TAN
ALTIN KİTAPLAR YAYINEVİ
VE TİCARET AŞ

KAPAK
GÜLHAN TAŞLI

BASKI
4. BASIM / MART 2010
AKDENİZ YAYINCILIK TİC. AŞ
Göztepe Mah. Kazım Karabekir Cad.
No.: 32 Mahmutbey - Bağcılar / İstanbul

ISBN 978 - 975 - 21 - 0686 - 4

ALTIN KİTAPLAR YAYINEVİ
Göztepe Mah. Kazım Karabekir Cad.
No.: 32 Mahmutbey - Bağcılar / İstanbul

Tel: 0.212.446 38 86 pbx
Faks: 0.212.446 38 90

http://www.altinkitaplar.com.tr
info@altinkitaplar.com.tr

CANAN TAN

YOLUM DÜŞTÜ AMERİKA'YA

Bu kitap daha önce Tudem Yayınları tarafından yayınlanmıştır.

BAŞLARKEN...

Renan, Amerika'ya gittiğinde on yedi yaşındaydı. Uluslararası Öğrenci Değişimi Programı'nın sınavına girmiş ve kazanmıştı. Sınavı kazananlar arasında, yaşı en küçük olan oydu.

Gittiği Lakefield kasabasında, hiç kimse Türkiye'yi ve Türkleri tanımıyordu. Ülkesini anlattı onlara. Geçit törenlerinde Türkiye'yi temsil etti. Gazete röportajları yapıldı. Radyo programlarına katıldı.

Yaklaşık iki ay boyunca Amerikalı bir ailenin yanında kaldı.

Bir hafta süreyle uluslararası bir kampta, çeşitli uluslardan gençlerle beraber oldu. Din, dil, ırk, ulus farkı gözetmeksizin sıcacık dostluklar kuruldu aralarında...

Yeri geldi, "En güzeli benim ülkem!" diye haykırdı. Yeri geldi; Türkiye'yi, Türk insanını, Atatürk'ü savundu.

Dönerken eline, ailesine verilmek üzere mektuplar tutuşturdular.

"Kızınız, gerçek bir Türk elçisiydi!" diyordu Amerikalılar. "Türkiye'yi onunla tanıdık..."

"Türk elçisi" olmak... İşte bu fikir, Renan'ın yaşamında dönüm noktası oldu. Üniversite sınavlarında, ilk tercih olarak Boğaziçi Üniversitesi Uluslararası İlişkiler Bölümü'nü yazdı ve kazandı.

Üniversiteden mezun olduğu gün, yıllar öncesi tuttuğu "Amerika günlüğü" geçti eline... Oturdu, bir kez daha okudu.

"Keşke," dedi. "Keşke bunları herkes okuyabilse..."

Ve günlüğünü bir yazara teslim etti. Sürükleyici, eğlendiren, eğlendirirken de düşündüren ve yol gösteren bir roman olması için...

CANAN TAN

21 Haziran

İstanbul'dan Çıktım Yola...

Evet, işte geldim!

Biraz önce Carol, kasabayı gezdirdi bana. Şimdi evdeyim.

Yolculuk beklediğim kadar yorucu geçmedi. Uçaktan indiğimde, tam yirmi dört saat uyumamış olmama karşın, üç saatlik St.Paul-Lakefield yolunun yalnızca bir buçuk saatini uyuyarak geçirdim.

Havaalanına indiğimde, onlar beni buldular. Onlar... Yaklaşık iki ay, evlerinde beni konuk edecek Amerikalı ailem: Wilsonlar!

Sarı saçlı, yeşil gözlü, tombulca bir kadın yanıma yaklaşarak, "Rinan!" dedi ve beni kucaklayıverdi. Bu, Carol olmalıydı. Tam arkasında Mr. Wilson ve Jay, gülerek bana bakıyorlardı. Ellerinde mor yaldızlı, üzerinde "Hi Renan" yazan, kalp şeklinde kocaman bir balon vardı.

Ailenin diğer oğlu Dean, kampta olduğu için beni karşılamaya gelememişti. İki gün sonra o da bizlere katılacaktı.

Şimdi her şeye en başından başlamak istiyorum...

Havaalanında babamdan ve canım kardeşim Sinan'dan ayrılmanın hüznüyle uçağa bindim... Heyecanlı mıydım? Hayır! Ama; New York'taki işlemleri o kadar kolay halledebileceğimi bilseydim, daha da rahat olabilirdim.

Boş bir korku değildi benimki. Daha bir ay önce, bilimsel bir toplantıya katılmak üzere Amerika'ya giden doktorlar grubunun, geciken gümrük işlemleri yüzünden uçağı kaçırdığını duymuştuk. Böyle bir durum, benim de başıma gelebilirdi...

Yol boyunca içimi kemiren "New York gümrüğü" korkusu dışında, her şey iyi gitti.

Az pişmiş kaşarlı omlet, neskafe, tost ekmeği, yağ, bal ve meyve salatasından oluşan kahvaltımı yeni bitirmiştim ki, ilk durağımız olan Frankfurt için alçalmaya başladık.

Frankfurt soğuk ve yağmurluydu. Terminal otobüsü, bizi havaalanı binasının kapısına kadar götürdü. Biz diyorum, çünkü yanımda Ayla Teyze vardı...

Ayla Teyze kim mi? İstanbul'da, havaalanında tanıştık. Babam beni ona emanet etti, yardımcı olması için...

Onlar konuşurlarken, içimden nasıl da gülmüştüm. Böyle bir şeye ne gerek vardı ki? Ben kendime güvenmesem, böylesi bir yolculuğa kalkışabilir miydim?

Babam, beni uçuran şeyin, uçağın kanatları mı olduğunu sanıyordu yoksa? Oysa ben, Amerika'ya kendi kanatlarımla uçuyordum.

Ne var ki bunları ona söyleyemedim. Söyleyemezdim de... O da haklıydı! On yedi yaşındaki biricik kızını, dünyanın öteki ucuna gönderiyordu. Benden çok daha heyecanlı olduğunu görebiliyordum. Canım babam benim...

New York uçağımız bir buçuk saat gecikmeliymiş. Biz de Ayla Teyze'yle sohbete koyulduk...

Meğer bizim emanetçi teyzemiz, ilkokul öğretmenliğinden emekli bir Açık Öğretim işletme öğrencisi değil miymiş? Günlere, gezmelere gitmek ona göre olmadığından, bu yolu seçmiş. Ders notlarını gösterdi, bayağı iyiydi.

Bir de bu kadar telaşlı ve heyecanlı olmasaydı... Benim de elimi ayağımı birbirine dolaştırmasaydı... Ama ne yapsındı? Ne İngilizce biliyordu, ne de Almanca. Can simidine sarılır gibi yapışmıştı koluma. Ben önde, o arkada, zar zor çıkış kapısını bulabildik.

Uçağa binince, önce Ayla Teyze'yi yerine yerleştirdim. Sonra kendi koltuğumu aramaya başladım. Kan ter içinde kalmıştım...

Bu arada, babamın kulaklarını tatlı tatlı çınlattım. Keşke burada olsaydı da kimin emanet, kimin emanetçi olduğunu kendi gözleriyle görebilseydi...

Bir işe yaramanın verdiği huzurla yerime oturdum.

Uçağımız, şimdiye dek bindiklerimin en kocamanıydı. Üç sinema ekranı, iki mutfak, üç kolon halinde, 3-4-3 düzeniyle sıralanmış koltuklar...

Yol arkadaşım bir Amerikalıydı: Sean Kyle. Yirmi yaşında, Türkiye'de askerlik yapmış; psikoloji mezunu ve evli... Asker olmayı kendi istemiş ve ülkemize yollanmış. Aldığı madalyalar ve başarı belgeleri, yirmi yaşındaki biri için, bence biraz fazlaydı. Üstelik inşaat işleri yapan babasının şirketlerini de devralmayı düşünüyordu.

Aklımdan, Türkiye'de bu özelliklere ancak otuz yaşında sahip olunabileceği geçiyordu ki, Sean Kyle son bombasını patlattı: IQ'su 138/140'tı! Oh, sonunda rahat bir nefes almıştım. Amerikalıların tümü, bu zekâ düzeyine sahip değildi kuşkusuz...

Evet, Sean akıllı olmasına akıllıydı, ama on dokuz yaşındayken Meksikalı bir kızla evlenmesine ne demeliydi? Bu kadar erken evlilik bana ters gelse de, yol arkadaşım halinden çok memnundu. Çünkü, her şeyi yaşının on yıl ilerisinde yaşıyordu.

Ve sonunda New York Havaalanı!

Boşuna korkmuşum!... On beş dakika içinde, gümrük görevlisi zenci kadının sinir bozucu soru yağmurundan başarıyla sıyrılmış, bavullarımı el arabasına yüklemiştim bile... Çevremde bana "aferin" diyecek kimse olmadığından, ben de kendi kendimi keyifle kutladım.

Bagajlarımı son kez teslim ettiğimde, uçağımın kalkışına daha bir buçuk saat vardı. Kalan zamanımı havaalanının labirente benzeyen koridorlarında, dükkânları gezerek, ışıl ışıl vitrinleri seyrederek geçirdim.

Yolculuğumun son uçuşunu yapacağım New York-St.Paul uçağı, diğerlerine göre "minik" boyutlardaydı. Koltuklar da yarı yarıya boştu.

Aynı sırada oturduğumuz sarışın şişman kadınla zayıf zenci kocasının birbirlerinden ayrı düşmelerine gönlüm razı olmadı. Yerimi onlara bırakarak, bir başka koltuğa geçtim.

Bir yanımda Amerika'ya yerleşmiş Hintli bir kadın, diğer yanımda yaşlı bir Amerikalı ile yolculuğumun nasıl geçtiğini anlamadım bile... Farklı ırklardan ve uluslardan insanlarla sohbet etmek; benim için yeni, ama çok hoş bir duyguydu.

Hostesin önüme uzattığı, tepeleme yiyecek dolu tepsiden yalnızca salatayı aldım. İçecek olarak da elma suyu...

Benim uçakla ve elma suyuyla tanışmam, bebeklik günlerime kadar uzanıyor. Henüz üç dört aylıkken, annemle beraber Ankara'ya, anneannemin elini öpmeye gidiyormuşuz... Annem, kendi içeceği elma suyundan bana da tattırmak istemiş. Biberonum sütle dolu olduğundan, hostesin getirdiği küçücük çay kaşığıyla ağzıma biraz elma suyu dökmüş. Ve döktüğüne, dökeceğine pişman olmuş... Ağzımdaki tadı o kadar çok sevmişim ki, ardı ardına yeni yudumlar gelsin diye, ciyak ciyak bağırıp tepiniyormuşum. Zavallı annem, bir fincan elma suyunu kaşık kaşık içirinceye kadar, akla karayı seçmiş...

Elimdeki plastik bardağa dalgın dalgın baktım. Elma suları hep aynıydı... Ama ben biraz büyümüştüm! Yanımda annem yoktu. Bir de, bu kez bardağımın içinde buz kırıkları vardı...

Hostesin, yolculuğumuzun bittiğini müjdeleyen anonsuyla irkildim. İnanamıyordum, sonunda gelmiştim işte... Kendi kendime durmadan Amerika'da olduğumu yineliyordum.

Biraz sonra, kocaman bir Amerikan arabasında, beni sevgiyle kucaklayan yeni ailemle beraber Lakefield'e doğru yol alıyordum.

Hayret, Türkiye hakkında hiçbir şey bilmiyorlardı! Lakefield kasabasının ilk Türk konuğu ben olacaktım. Yol boyunca, karşılıklı sorduğumuz sorularla birbirimizi daha iyi tanımaya çalıştık.

Dale Wilson matematik öğretim üyesiydi. Carol, "Caro Lin's" adlı mağazasında çalışıyordu. Jay on yedi, Dean on dört yaşındaydı. İkisinin de okul dışında bir sürü uğraşı vardı.

Carol, konuk öğrenci olarak neden beni seçtiklerini anlattı.

Mr. Wilson, kuzey bölgesinin "Uluslararası Öğrenci Değişim Komitesi" başkanı olduğundan, bütün başvurular ona geliyormuş. Benim fotoğrafım, özellikle de Carol ve Jay'in hoşuna gitmiş. Başvuru yazımı da çok içten ve sıcak bulmuşlar. Sonunda oybirliğiyle beni seçmişler.

Yüzlerce kişinin arasından seçilmiş olmanın gizli gururu ve mutluluğuyla arabanın arka koltuğuna gömüldüm. Önümüzde uzanan geniş otobanı, ışıklı levhaları, farklı mimarideki binaları izlemeye koyuldum. Yeşillikler arasındaki kasabaya girdiğimizde, kendimi bir Amerikan filminde rastlantı sonucu rol almış bir aktris gibi hissediyordum. Yaklaşık yirmi dört saattir yoldaydım ve yerel saat 24'ü gösteriyordu. (Türkiye ile sekiz saat fark var.)

Sokaklarda kimsecikler yoktu. Evlerin pencereleri ışıksızdı. Tüm kasaba uykudaydı anlaşılan... Geniş bahçelerin çimleri üzerinde yükselen dev ağaçlar, evlerin bekçiliğini yapıyorlardı sanki.

İlk iş olarak evi gezdim. Jay odasını bana vermiş. Kendi anlatımıyla, yeraltında bir yerlerde (bodrumda) kalacakmış. Pek şikâyetçi görünmüyordu.

Dean kampta. Odasından ve duvarlara asılı resimlerden anladığım kadarıyla fişek gibi bir çocuk...

Carol ile Dale'in kendi banyoları var. Odamın hemen yanındaki banyo da bana ait. Onca yorgunluğun üzerine, duş yapacağım bir ortamın, bana cennet gibi görünmesi doğal değil mi? Ardından da deliksiz bir uyku...

Sabah 09.30'da kalktım.

Türkiye'de olsa, evde bir konuğun ağırlandığı ilk sabah ne yapılır? Tüm ailenin hazır bulunduğu, özenli bir kahvaltı sofrası hazırlanır, öyle değil mi? Amerikalı bir aileye konuk olacaklar, böyle bir şeyi düşünmesinler bile...

Bana, kocaman bir masayı donatacak kadar şey sayıp, ne yemek istediğimi sordular. İki dilim kızarmış ekmek, yağ, reçel ve süt yeterliydi.

Anladığım kadarıyla, buradaki insanlar devamlı bir şeyler yiyorlar. Onun için de açlık duygularını yitirmişler. Belli bir öğünde masaya oturup yemek yemek, gereksiz geliyor. Ağzına kadar yiyecek dolu, kocaman bir buzdolabının kapısı, sabahtan akşama dek açık...

Kahvaltıdan sonra Carol'la, işyerlerinin bulunduğu, üç sokak ötedeki merkeze indik.

Her adımda birbirlerini selamlayan güler yüzlü insanlar, bana özel bir ilgi gösteriyorlar. Daha ben gelmeden, varlığımdan haberdar olmaları sevindirici... Bizi gören, tanışmak üzere yanımıza koşuyor. Hepsi cana yakın, sevimli ve kibar. Hepsi beni tanıyor!...

Bana, "Kasabanın ortak konuğu," olduğumu söylüyorlar. İçimi dolduran sevinç, dudaklarıma sıcacık bir gülümseme olarak yansıyor. Daha ilk günden, beni "peşin" sevgileriyle sarıp sarmalayan bu insanları çok seveceğimi hissediyorum.

Bu arada bana, katılacağım etkinlikleri saydılar. O kadar çok ki, inanamıyorum... Bir sürü kutlama ve özel gün var. Hepsinde de görevliymişim.

Carol beni, tüm etkinliklerin ve kutlamaların düzenleyicisi olan Mr. Brown'la tanıştırdı. Mr. Brown tombulca ve şirin bir Amerikalı. Bana tanışmamız şerefine, kocaman bir pin (iğne) armağan etti.

(Şu anda içeri *Muffen* girdi. Wilsonların dokuz yaşındaki kedileri... Bana yeni yeni alışıyor. Doğruca yatağıma zıpladı, yanıma sokuldu, tüylerini okşamamı bekliyor. Alışmış sayılmaz mı artık?)

Carol'la beraber çok sayıda dükkâna girdik, çıktık. Dükkân sahipleriyle ve orada bulunan müşterilerle tanıştık. Kocaman bir bankaya gittik, para yatırdık.

Carol, bankanın yanındaki büyük mağazayı göstererek, "Annenle baban eczacı olduğuna göre, bizim eczanemizi de görmek istersin herhalde," dedi.

Üzerinde "Pharmacy" (Eczane) yazan görkemli dükkâna girdiğimde, gülmemek için kendimi zor tuttum. Alabildiğine geniş bir alanda gazete, dergi, kitap, oyuncak, kozmetik, giysi, hediyelik eşya bölümleri... Ve galiba ayıp olmasın diye eklenmiş, küçük bir ilaç bölümü. Türkiye'deki eczanelerde, ilaç dışındaki ürünlerin satılmasından yakınanlar, gelip bir de burayı görsünler...

Son durağımız, Carol'ın mağazası "Caro Lin's" oldu... Doğrusu, bu kadarını ummuyordum. Birbirinden kaliteli ve güzel giysiler, göz kamaştırıcı takılar, cicili bicili parfüm şişeleri, aklımı başımdan aldı desem yeridir.

Carol, yeni gelen rengârenk giysileri göstererek, "Bunlardan birini sana armağan etmek istiyorum. İstediğini seçebilirsin," dedi.

Fazla pahalı bir şey seçmemeliyim, diye düşündüm. O anda bana en anlamlı görünen, üzerinde "Minnesota-Lakefield" yazılı bir tişört oldu.

Carol'a yardım etmek istiyordum. Ne yapabileceğimi sordum. 1950'li plaklardan birkaç tane tutuşturdu elime. Ortalarından renkli kurdele geçirip, beraberce tavana astık. Ne kadar değişik bir süsleme anlayışları vardı...

Eve döndüğümüzde, Mr. Wilson bizi bekliyordu. Biraz sohbet ettik, gün boyunca yaptıklarımızı anlattık.

Akşam yemeğini Mr. Wilson yapacaktı ve süpermarketten alışveriş yapmak gerekiyordu. Bu kez hep beraber kasabaya indik.

Yabancı bir ülkenin sebzelerini, meyvelerini tanımak ilginç oluyor. Kalın çeperli, koyu renkli biberler, değişik boyutlarda domatesler, portakal büyüklüğünde turuncu kavunlar, sarıdan yeşile, kırmızıdan bordoya renk renk, şekil şekil elmalar...

Eve gelince Mr. Wilson kıymalı, fasulyeli bir yemekle "taco salad" dedikleri soğanlı, mısır gevrekli, değişik soslu bir salata hazırladı.

Akşam yemeğinden sonra, bulaşıkları gene Mr. Wilson yıkadı. Yetmezmiş gibi, içine en azından (hiç abartmıyorum) otuz şey koyduğu nefis kurabiyeler pişirdi.

Sıra, onlar için Türkiye'den getirdiğim armağanları vermeye gelmişti. Tam zamanıydı! Salonda oturmuş televizyon seyrediyorlardı.

Usulca odama süzüldüm. Yanlarına döndüğümde, elim kolum "ülkem" kokan armağanlarla doluydu.

El dokuması küçük bir halı, Türk motifli çoraplar, eldivenler; bakır üzerine gümüş işlemeli bir tabak, kilim desenli heybe, kenarları iğne oyası işlemeli yemeniler, Buldan bezinden nakışlı bir masa örtüsü, nazar boncuğu anahtarlıklar, Carol için gümüş telkâri bilezik ve küpe, bakır bir cezve, Türk kahvesi, Kütahya işi fincan takımı...

Bakalım beğenecekler miydi?

Uluslararası değişim öğrencisi seçildiğim andan yolculuk günüme kadar, beni en çok oyalayan konu bu olmuştu: Gideceğim eve götüreceğim armağanlar! Çok pahalı olmayabilirdi. Ama Türkiye'mden izler taşımalıydı, ülkem gibi kokmalıydı...

Bu iş için annem, babam ve ben ekip halinde çalışmıştık. İzmir'deki tüm hediyelik eşya mağazalarını, Kemeraltı'nı, Hisarönü'nü tekrar tekrar gezmiştik.

Wilsonların salonu, Türk eşyalarının sergilendiği bir galeriye dönmüştü. İki adım geriye çekilip gösterecekleri tepkiyi beklemeye başladım.

Önce Carol'ın şaşkınlıktan irileşmiş gözlerini gördüm. Ardından da Mr. Wilson'ın sevecen bakışlarını... Jay ise nazar boncuğu anahtarlıklarla Türk motifli çoraplar arasında seçim yapmaya çalışıyordu.

Beğenmek ne demekti; bayılmışlardı!...

Carol armağanların birini alıp diğerini bırakarak, sevinç çığlıkları atarken, arkamda sakladığım son paketi de açıverdim.

Bu bir Türk bayrağıydı!

Mr. Wilson yanıma geldi. Elimdeki bayrağı alıp dudaklarına götürdü. Ona göre, armağanlarımın içinde en değerli olanı buydu ve hangi ulusun olursa olsun, bayraklar öpülürdü.

Böyle bir şeyi hayal bile edemezdim. Karşımda, bayrağıma sarılmış bir Amerikalı duruyordu. Üstelik bu tablonun oluşmasında en önemli pay benimdi...

Tarifsiz bir mutluluk kaplamıştı içimi. Daha fazla dayanamadım. Bakır cezveyle kahveyi ve fincanları kaptığım gibi mutfağa koştum. Onlara Türk kahvesi pişirecektim.

Salona döndüğümde, getirdiğim armağanların tümü, şöminenin yanındaki geniş sehpanın üzerine sıralanmıştı. Küçük halı yerde, bayrak duvardaydı. Kendilerince bir "Türk köşesi" düzenlemişlerdi. Beni ziyarete gelecek herkes, bu köşeyi görmeliydi...

Kahve pek hoşlarına gitmedi galiba. Ama fal bakmaya kalkmadım mı, bayıldılar. Söylediklerim de son derece isabetliydi doğrusu: Fincanlarında, bir Türk kızı görünüyordu...

Artık yatmam gerekiyor. Yarın sabah erkenden çilek toplamaya gidecekmişiz.

Burada her şey o kadar sakin ki... İnsanlar, olaylar, kasaba... Saat henüz 22.00 ve herkes yatakta.

Haydi iyi geceler!

22 Haziran

Çilek Günü

Sabah 06.00'da uyandım. Daha doğrusu uyandırıldım. Çilek toplama işlemi, erken saatte yapılırmış.

Carol, bana kendi giysilerinden eski bir kot, kirli bir ayakkabı, kalın çoraplar ve gömlek verdi. Çamurlara batacakmışız da...

Carol'ın 39 numara ayakkabılarını, ayağıma oturması için üç çift çorapla giydim. Eski kotu ve gömleği de üzerime çekince hazır olduğumu sanıyordum. Değilmişim! Üzerimize sivrisinek kovucu sprey sıkmadan çıplak sayılırmışız. Burada herkes, bu spreylerle bütünleşmiş durumda. Yeşillik çok olduğundan, yapılan ilaçlamalar yetersiz kalıyormuş.

Gideceğimiz yer, Heron Lake kasabasıydı. Wilsonların komşusu Maria Esser bizi kapıdan aldı. Onun arabasıyla gidecektik.

Çok geçmeden çilek toplayacağımız yere varmıştık. Bir görevliden, üzerinde numaralarımızın yazdığı kartlarımızı aldık. Ve uçsuz bucaksız Çilekistan'a dalıverdik.

Parlak kırmızı, iri çileklerden iki küçük kova topladım. İlk gün için başarılı sayılabileceğimi söylediler.

Çıkarken, kapıda bu tarlaların sahibiyle tanıştım. Mr. Wilson'ın öğrencisiymiş. Ayaküstü bir sohbetten sonra, topladığımız çileklerin parasını ödeyip vedalaştık.

Yol üstünde bir kafeteryada kahvaltımızı yaptık. Değişik bir elmalı kekle kahve içtim. Eve geldiğimizde gün yeni başlıyordu.

Banyo yaptım. Çilekli krema yedim. Çilekli turta yapan Carol'a yardım ettim. Anlayacağınız, bugün tam bir "çilek günü"ydü.

Saat 10.30'da, Mr. Wilson'la çalıştığı okula gittik. Hayret, buradaki insanlar da beni tanıyorlar! Öyle cana yakın, öyle ilgili davranıyorlar ki... Merak dolu sorularına yanıt olarak, otomatiğe bağlanmış gibi, tekrar tekrar kendimi anlatıyorum.

Bir de, sebep olsun olmasın, herkes bir şeylere gülüyor. İster istemez onlara katılıp gülmeye çalışıyorum. Bu gidişle, suratımın sarkacağından korkuyorum.

11.30'da Dean'ı, kaldığı kamptan almak üzere yola çıktık. Mr. Wilson'la sohbet etmek, yolculuğumu daha da zevkli kılıyordu.

Çevremizde bir tek dağ bile yoktu. Alabildiğine uzanan yemyeşil çayırlar, irili ufaklı ağaçlar ve karşımızda bizi kucaklamaya hazırmış gibi uzanan pırıl pırıl bir gökyüzü... Bir saatlik yol boyunca değişmeyen bu nefis manzara, Minnesota'nın doğusundan batısına, ta kuzeye kadar böyle sürermiş.

Biraz sonra, kocaman bir gölün kenarındaki kampa ulaştık. Minnesota eyaleti, irili ufaklı sayısız göle sahip, gerçek bir göl cenneti... Kamplar da genelde komşu oldukları gölün adıyla anılıyorlar.

Bugün, Dean'ın katıldığı gençlik kampının son günüydü. Doğal olarak, havada hüzün vardı. Çeşitli uluslardan gençlerin söyledikleri o güzelim veda şarkıları ve ister istemez bizim de katıldığımız danslar, beni çok etkiledi. Öyle ki, birbirlerinden ayrılacakları için gözyaşı döken genç kızlar ve delikanlılarla beraber, neredeyse ben de ağlayacaktım.

Dönüş yolunda, Dean'ın kamptan ayrılış burukluğunu üzerinden atması için, harika manzaralı bir yerde yemek molası verdik. Her türlü yiyeceğin bulunduğu, upuzun bir açık büfe; yanı sıra, zengin bir deniz ürünleri masası...

Keşke, karşıdan bakınca harika görünen bu yiyeceklerin içeriğini önceden bilebilseydim! İşe meyve ve salata ile başlamak, Dean'ın fikriydi. Oysa karnım iyice aç olsaydı, tabağıma aldığım tatlı makarna ve et, bu denli midemi bulandırmazdı belki de... Yalnız onlar mı? Tütsülenmiş balık ve tatlı patates püresi de yeterince kötüydü.

Hoşuma giden tek şey, masadan kalkarken getirdikleri nane kokulu, ağza ferahlık veren minik kürdanlar oldu.

Yemekten sonra beni, birbirlerine onar dakika uzaklıktaki kasabaların arasında dolaştırdılar. Yerel tarihin izlerini taşıyan müzeler ve yeşillikler arasındaki mezarlıklar ilginçti.

Bu arada, yalnızca yirmi kişinin yaşadığı bir kasaba gördüm. Galiba bu Amerikalıların sosyal bilgiler dersinden hiç haberleri yok! Yirmi kişilik yerleşim merkezine "köy" denileceğini bile bilmiyorlar.

Dean, gerçek bir Amerikan fişeği! Onu seyretmek bile insana neşe veriyor. Çok şirin bir çocuk... Armağanlarıma da bayıldı.

Akşamüzeri, "Main Road" dedikleri, Lakefield'in sayılı dükkânlarının yer aldığı, kasabanın çok ama çok geniş, ana caddesine gittik.

Gençler boş zamanlarını burada, arabayla tur atarak geçirirlermiş... Gördüklerim, tam üç dakikalık bir gülme krizine girmeme neden oldu. Düşünsenize, aynı yol boyunca defalarca gidip dönen, aynı insanları belki yüz kez selamlayan; ehliyetli, arabalı, boş zamanı bol gençler...

Bu alışkanlık, Amerika'nın her yerinde varmış ve büyük şehirlerde trafik sıkışıklığına yol açarmış. Biz de Jay'le beraber onlara katılmalıymışız...

Eve döndüğümüzde, harika bir haber bekliyordu beni. Düzenlenecek "Büyük Minnesota" kutlamaları sırasında, Jay ve ben çevre kasabalara radyo yayını yapacaktık. Düşünebiliyor musunuz, bir Amerikan radyosundan Amerikalılara kendi dillerinde seslenebilecektim.

Aldığım müjdenin sevincini içime sindirmeye çalışıyordum ki, Mr. Wilson, gelecek ay katılacağım gençlik kampının programını elime tutuşturuverdi. Ardından da bu kampın bölgenin en iyisi olduğunu, tüm gençlerin oraya gidebilmek için can attıklarını söyledi.

Birkaç hafta sonra, cıvıl cıvıl gençlerin kaynaştığı, uluslararası bir kampta olacağım. Ne güzel!... Dünyanın en şanslı insanlarından birisi olduğum konusundaki kuşkularım, yavaş yavaş benden uzaklaşıyor.

Umarım o güne kadar her şey yolunda gider...

23 Haziran

Farklı Bir Aile Yapısı

Dean ile odalarımız karşılıklı. Çaldığı gürültülü müziğin sesiyle uyandığımda saat 09.30'du.

Bu evde gerek Carol, gerek Dale durmadan bir şeyler pişiriyorlar.

Bugün de Carol, daha biz kalkmadan, kedimize adını veren "muffen" dedikleri keklerden pişirmiş. O kadar güzel görünüyorlardı ki... Hemen bir tane alıp, üzerine ince bir tabaka yağ sürdüm ve sütümle beraber yemeye koyuldum. İçindeki, "blueberry" denen mavi çilekle, iğrenç bir tat ortaklığı oluşturacağını nereden bilebilirdim?

Saat 10.00'da hep beraber, Dean'ın beysbol maçına gittik. Amerikan filmlerinden fırlamış çocuklarla, bu filmlerin çekildiği yerleri çağrıştıran bir sahada, Jay'in yönettiği maçı izlemek çok zevkliydi.

Öğrendiğim beysbol terimlerini unutmayacağıma eminim. Bu sözcüklerin bir listesini çıkarsam, bir haftada ezberleyemem. Ama uygulamalı olarak öğrenince, akılda kalıcı oluyor.

Maçtan sonra Carol işe gitti. Biz de Mr. Wilson'la beraber, yürüyerek eve döndük.

Ve gelelim gün'ün büyük olayına: Artık yalnızca beysbol gibi, kuralları zor bir oyunu anlamakla kalmıyorum; golf de oynayabiliyorum!

İlk dersimi arka bahçede, sivrisinek sürüsünün içinde aldım. Sonra oturma odasında, Mr. Wilson'ın verdiği makineye beyaz, turuncu, mavi ve fosforlu sarı toplarla atış talimi yaptım. Carol işten dönünce de golf oynamaya gittik.

Golf sahası, şu ana kadar gördüğüm yerlerin belki de en güzeliydi. Saatlerce yürünse, bitmeyecekmiş gibi uzanan yemyeşil çimler, cinslerini bilemediğim harika görünümlü ağaçlar, göl, ırmak...

Bir an, gördüklerimin gerçekliğinden kuşkuya düştüm. Galiba renklerin düşündeydim... Mavi ile yeşilin, görkemli düğünüydü bu.

Irmağın üzerindeki köprüyü geçince, hiç ummadığım bir manzara bekliyordu bizi: Karşımızda iki küçük tepecik, üstlerinde de iki küçük klozet vardı! Bu da işin esprisiymiş...

İki saat boyunca göl, köprü, engel, top... derken çimlerin üzerine pestil gibi seriliverdim. Acemi bir golf oyuncusu olmaktan son derece memnundum.

Dönüşte, süpermarkete uğramadan olmazdı! Bugünkü alışverişimizde ben; bir galon (yaklaşık dört buçuk litre) suyun fiyatını, satın alınan şeylerin bir görevli tarafından karton kutularla arabalara taşındığını, araba kapılarının zaten açık olduğunu öğrenirken; Mr. Wilson da hamburgerimi iyice pişirmesi gerektiğini, domuz eti yemenin benim dinimde günah olduğunu, orada satılan ürünlerin çoğunun Türkiye'de de bulunduğunu öğrendi.

Evet, burada arabaların kapılarını arabaya binerken kilitliyorlar, inerken değil. Herkesin aracı evinin önünde, kapıları açık olarak duruyor.

Benim araba kullanmadığıma çok şaşırdılar. Üç tane arabaları var. Hepsi de geniş, rahat, ama dış görünüş olarak biraz hantal Amerikan arabaları.

Wilsonlar gerçekten çok iyi insanlar... Bakışlarından, bir kız çocuğu sahibi olamamanın üzüntüsünü okuyabiliyorum. Bana, yıllardır özlemini çektikleri, kendi kızlarıymışım gibi sevgiyle ve sıcacık bakmaları çok hoşuma gidiyor.

Bu arada, bize göre, ne kadar farklı bir aile yapıları olduğunu düşünmekten de kendimi alamıyorum...

Mr. Wilson dünyanın en şirin matematik öğretmeni. Çikolatalı kurabiyeler pişiriyor, yemek yapıyor, bulaşık yıkıyor... Evdeki zamanının çoğu mutfakta geçiyor.

Akşam yemeğinde bizim için, bahçede hamburger pişirdi. Ancak, dışarıdaki sivrisinek yoğunluğu artınca, soframızı içerideki masaya kurduk. Üç çeşit ketçabımız, sütümüz, çiğ karnabaharımız, marulumuz, soslarımız ve tabi nefis hamburgerlerimizle...

Bu akşam, aile içinde küçük bir kavganın da tanığı oldum. Dean eve söylenenden geç gelince, Mr. ve Mrs. Wilson ona çok kızdılar.

O da, "Sizinle konuşabilir miyim?" diye sordu.

İkisi bir ağızdan, "Hayır!" dedi. Dean odasına koştu.

Mr. Wilson, "Konuşmalıydık," diye onun arkasından gitti.

Biraz sonra geri dönüp telefonla Dean'ın arkadaşının ailesini aradı. Babasına, çocukları onun tutup tutmadığını sordu.

Gerçekten de çocukları oyalayan oydu. Mr. ve Mrs. Wilson, Dean'dan özür dilediler. Biraz sonra her şey normale dönmüştü.

Dean izin alıp arkadaşında kalmaya gitti. Sabah 08.30'da gelecek. Çünkü, kiliseye gidecekmişiz. Bir çocuğun vaftizi varmış ve şarkı söylemek üzere özel bir koro gelecekmiş.

Kilisede oturmanın günah olduğunu sanmıyorum...

24 Haziran

Kilise...

Sabah, kahvaltıdan sonra, kiliseye gitmek üzere yola çıktık. Wilsonlar, buraya geldiğimden beri ilk kez bu kadar özenli giyinmişlerdi.

Yol boyunca gördüklerim gerçekten ilginçti. Aileler, kaç yaşında olursa olsun, tüm çocuklarını önlerine katmış, akın akın kiliseye doğru yürüyorlardı.

Her şey filmlerde gördüğüm gibiydi.

Beyaz giysiler içindeki Dean, mumları yaktı. O sırada Peder geldi ve herkesin birbirine, günaydın demesini istedi.

Bunu, "Sweet Adeline" adlı bir kadın korosuyla yılda bir kez konuk olarak gelen, erkek korosunun şarkıları izledi.

Bana, kendileri İncil okurken ayağa kalkmaktan rahatsız olursam, kalkmayabileceğimi; seçimimde serbest olduğumu söylediler. Otururken daha rahatsız olacağımı hissettiğimden, ben de onlarla beraber tam altı kez kalkıp oturdum.

Sonra, yalnızca annesi olan bir kız bebeğin vaftizi yapıldı ve tören bitti. Sıra, arka salonda dağıtılan kahve ve pastalar eşliğinde yapılacak pazar sohbetlerine gelmişti.

Burada bir buçuk saat oturduk. Böylelikle, kasabada tanışıp tokalaşmadığım bir tek kişi kalmadı sanırım...

En son elini sıktığım, pederin on yedi yaşındaki güzel kızı Gina'ydı. Bu yıl liseden mezun olmuştu ve Mr. Wilson'ın öğrencisiydi. Hardee's'te "fast food" yapan bir yerde çalışıyordu. İşe, kendi arabasıyla gidip geliyordu.

Annesine, "Tatil akşamları 24.30'da eve gelmem neden sorun oluyor da, işten 03.30'da dönmem normal karşılanıyor, anlamıyorum!" dedi.

Annesinden, "Saat 03.30'a kadar nerede olduğunu biliyoruz da ondan," yanıtını aldı.

Şu ana kadarki izlenimlerime göre, Amerikalı aileler çocuklarıyla çok ilgililer. Her adımlarını, tatlı sert takip ediyorlar. Özgürlük var, ama sınırsız değil...

Eve dönünce, Jay'le plaja gitmek üzere yola çıktık.

"Minnesota, on bin göle sahip bir cennettir!" demeleri boşuna değil... Yolunuzun üzerine her an bir başka göl çıkabiliyor. Canınız istediğinde, deniz -pardon göl- sefası yapabiliyorsunuz.

Yol boyunca Jay'le ilk kez uzun uzun konuştuk ve çok eğlendik. Bu arada, komşu eyalet olan Iowa'ya geçmiştik. Böylece, Amerika'nın elli eyaletinden üçünü görmüş oluyordum. (Uçağımın indiği New York'u da saymamı Mr. Wilson söyledi.)

Biraz sonra, şezlonglarımızı suyun ortasına oturtmuş, güneşin çıkmasını bekliyorduk. Ben biraz yüzdüm. Jay güneşlendi.

Jay'e, Türkiye'nin eşsiz güzellikteki plajlarını, denizini, kumunu anlattım. Bana göre, göl kıyısındaki bu şahane plajın, bizim Çeşme plajlarından üstün bir yanı yoktu. Tek fark, yüzdüğümüz suyun birinin tatlı, diğerinin tuzlu olmasıydı. Üstelik, bizim ışıl ışıl güneşimiz de buradaki kadar nazlı değildi...

Eve dönüp duşumuzu aldık. Tam televizyonun karşısına geçmeye hazırlanıyordum ki, Carol, onunla beraber mağazaya gidip gidemeyeceğimi sordu. Teklifini seve seve kabul ettim.

Günlerden pazardı, tüm dükkânlar kapalıydı. Ama pazartesiden itibaren ucuzluk başlayacaktı ve yeni etiketlerin yazılması gerekiyordu.

Elimde hesap makinesi, Carol'ın söylediği oranları etiket fiyatından düşerek, yeni rakamları minik kartonların üzerine yazmaya başladım.

Bu arada, fiyatları gözden geçirme fırsatı buldum. Ne kadar kaliteli olursa olsun, bir tişörtün Türkiye'ye göre üç kat pahalı satıldığını görmek, beni biraz ürküttü doğrusu... Neyse, annemle konuştuğumuz gibi, yapacağım ufak tefek alışverişleri son günlere saklıyorum. Zaten kısıtlı olan param, şimdilik cüzdanımda durmalı...

Akşam yemeğinin ardından, beşimizi birden televizyonun karşısına çivileyen, nefis bir video filmi seyrettik.

Artık yatma zamanı...

25 Haziran

Bugünün Yemeği Benden

Her geçen gün daha erken uyanmaya başladım. Bu sabah da saat 06.00'da kalktım, bir daha da uyuyamadım.

Oturma odasındaki koltukların hepsi yaylı ve yumuşacık. Ama benim en çok sevdiğim, mavi, pofuduk ve sallanır

olanı. Üstelik yanındaki kolu çekince, minderin altından ayaklarımı uzatabileceğim özel bir bölüm çıkıyor.

Bu şirin koltuğun üzerinde, kocaman bir bardak portakal suyu ve kitabımla tam bir saat geçirmişim.

Mr. Wilson uyanıp da beni görünce şaşırdı. Beraber kahvaltı yaparken, bugün onlara yemek pişirmek istediğimi söyledim.

Jay dışarıda, komşumuzun bahçesinin çimlerini biçiyordu. Biraz izledim. Bana göre çok ağır olan çim biçme makinesiyle çimlerin üzerinde iki kez de ben gidip geldim... Zor bir iş! Jay'in yaptığı gibi, ancak para karşılığında katlanılabilir.

Evet, Jay komşularının bahçesinde çim biçiyor ve karşılığında da para alıyor. Babası artık ona harçlık vermiyormuş. Ayrıca, küçük çocuklara beysbol öğretmenliği yapıyor. Kışın da okulda çalışıp para kazanıyormuş.

Bunu yapan yalnızca Jay değil, herkes... Araba yıkıyorlar, kendinden küçüklere ders veriyorlar, çocuk bakıyorlar, dükkânlarda çalışıyorlar. Ailelerinin gelir düzeyi ne olursa olsun, cep harçlıklarını kendi emekleriyle kazanıyorlar. On-on iki yaşındaki çocukların bile sorumluluk yüklenebilmeleri ne güzel...

İster istemez Türkiye'deki durumu düşündüm. Bizler neden böyle yapmıyoruz? Neden bu tür işlerde çalışmaktan utanıyoruz?

Siz hiç, komşusunun arabasını yıkayıp karşılığında para alan bir genç gördünüz mü Türkiye'de? Oysa, ekmeğini taştan çıkarmak, gibi güzel bir deyim, yalnızca Türkçede var...

Jay'i çim kırparken bırakıp alışverişe çıktık.

Önce eczaneye uğradık. Bu eczane ile Caro Lin's arasında şöyle bir anlaşma var: Aldıkları her ürün için, alış fiyatına %10 ekleyip birbirlerine ödüyorlar. Bir tür komşu indirimi... Eczacının -anneme benzeyen- sevimli eşi, bu anlaşmadan benim de yararlanabileceğimi söyledi. Yaşasın!...

Sonra da beni, arka tarafa, ilaçların ve kocasının bulunduğu bölüme götürdü. Eczacı işini gücünü bıraktı, bana eczanenin çalışma yöntemlerini anlatmaya başladı. (Ben de bir eczacı çocuğuydum ya...)

Burada reçeteler bilgisayara kaydediliyor. Tabletler de reçetede yazan doza göre, sayılarak veriliyor. Böylece ilaç savurganlığı önlenmiş oluyor.

İlaç tariflerini de, bizim eczanede yaptığımız gibi kutuların üzerine yazmıyorlar. Bu iş için özel etiketler kullanıyorlar.

Yaptığımız alışveriş anlaşmasından yararlanarak, çok hoşuma giden bir iğneyle annemlere, Ayla Öğretmen'ime ve arkadaşlarıma göndermek üzere cicili bicili kartlar aldım.

Eczaneden sonra markete gittik. Bugünkü alışverişi ben yapacaktım...

Eti seçmem zor oldu. (Sac kavurma yapacaktım da...) Mr. Wilson da bu çarşamba, beş günlüğüne balığa çıkacağı için beş paket et aldı.

Eve dönüp paketleri bıraktık. Dean'ı alıp Jackson'a gittik. Burası tam bir hediyelik eşya cenneti ve alışveriş merkezi... Ürünlerdeki çeşit zenginliği, beni şaşkına çevirdi.

İlk kez, mısır kabuğundan yapılmış bir bebek gördüm. İğneler, takılar, mumlar, biblolar, her yaştaki insana oynama hevesi verecek oyuncaklar... Bir de Minnesota'nın sembolü olan ördekler! Kutlama gününün yakın olduğunu müjdelercesine, her tarafı kaplamışlar.

Dean'la konuşup şakalaşmaktan, dönüş yolunun nasıl geçtiğini anlamadım bile... Hayret, kendimi yavaş yavaş onun gerçek ablası gibi hissediyorum! Bu, çok hoş bir duygu...

Saat 16.00'da yemeği hazırlamaya başladım!

Çevrem, meraklı izleyicilerle sarılmış durumda. Etrafı koklayıp rendelediğim domateslere şüpheyle bakan Dean, "Ben bu yemeği yemeğe mecbur muyum?" diye beni kızdırıyor. Jay ise durmadan, biberden nefret ettiğini söylüyor. Ve ben, Mr. Wilson'ın desteğini arkama alarak, etlerle boğuşuyorum. Bir yandan da, burada uzun sivri biber olmadığından, kalın çeperli dolmalık biberlerle istediğim tadı elde edebilmek için dualar ediyorum.

Sonunda beklenen an geldi... Soframızı hazırlayıp oturduk. Heyecanlıydım. Sütümüz, özel olarak aldırdığım pamuktan yumuşak ekmeğimiz ve gerçekten nefis görünen, kocaman bir tabak sac kavurmamız, benim servis yapmamı bekliyordu.

Jay tabağına bir kaşık, tadımlık sac kavurma aldı. Dean da öyle... Bense, hepsinin yüzüne tek tek bakarak, tepkilerini ölçmeye çalışıyordum.

O da nesi? Jay ikinci kez tabağını uzatmaz mı? Dünyalar benim oldu... Bir servis tabağı sac kavurma, kısa sürede silinip süpürülüvermişti.

Yemekten sonra yürüyüşe çıktık. Mr. Wilson, bir Amerikan polisiyle tanışmayı isteyip istemediğimi sordu. İstemez olur muydum hiç?

Önünde durduğumuz yer, bir polis merkeziydi. Önce kapıda duran polis arabasını inceledik. Tam merdivenleri tırmanıyorduk ki, kapıdan iriyarı, ciddi görünüşlü, özel üniformalı, dimdik yürüyen bir polis çıktı.

Mr. ve Mrs. Wilson, "Bu bizim kızımız! Türkiye'den..." diye beni tanıttılar.

Birden, o ciddi polis, karşımda yamulmaya başladı. Sağ omuz düştü, dizler büküldü.

"Sen tanıdığım ilk Türksün," diyen komik bir sesle elini uzattı.

Kahkahalar boğazıma takılmıştı, konuşamıyordum. Bu halimle Carol'ı epey güldürdüm.

İlk kez gördüğüm bu Amerikan polisi, Türkiye'deki tüm kızların benim kadar şirin olacağını bilseymiş, seve seve Türkiye'ye gelirmiş...

Ne kadar iyi bir insandı! İçeride önemli işleri olduğu halde, bize on beş dakikasını ayırmıştı. Acaba suçlulara karşı da böyle güler yüzlü davranıyor muydu?

Bana, eğer istersem polis arabasına binebileceğimi söyledi. Bu harika öneriyi ikiletmeden atlayıverdim arabaya...

Benim için çok zevkli bir deneyimdi. Düğmeler, kollar, oturduğum koltuğu arka bölümden ayıran kocaman ayna, makineli bir tüfek...

Keşke fotoğraf makinem yanımda olsaydı... Mr. Wilson, bir başka gün çekim yapabileceğimizi söyledi.

Geldiğimiz gibi yürüyerek eve döndük. Yorucu ama güzel bir gün daha geride kaldı.

Artık yatmalıyım.

26 Haziran

Yetmiş Yaşındaki Golf Oyuncusu

Şu anda saat 14.00. İki saat sonra Carol'ın golf maçı var. Golf çantasını (tekerlekli, harika bir şey) ben taşıyacağım. Eh, o kadar katkımız olsun artık...

Bu sabah gene mısır gevreğiyle kahvaltı yaptım. Yemek yeme alışkanlığım gitgide değişiyor galiba... Süt ve mısır gevreği, beslenmemin vazgeçilmez öğeleri oldu. Ancak, tatlı sosları asla sevemeyeceğimden eminim!

Kahvaltıdan sonra, halının üzerinde güneşlenen Muffen'la biraz oynadım. Ardından, anneannemin sevgili dizisi "Yalan Rüzgârı"nın bilmem kaçıncı bölümüne göz attım. Pek bir şey anlamadığım bu dizi, Amerika'da çağ atlamış durumda. Bizimkilerden yıllarca sonraki bölümleri gösteriyorlar.

Jay'in incelemem için bana verdiği, mezun olduğu okulun yıllığı epey zamanımı aldı. Kapağına bayıldım, ama içi siyah beyazdı. Bizim okulumuzda yıllıkların renkli basıldığını ve bundan çok daha güzel olduğunu söyleyerek, Jay'i biraz kızdırdım.

Sonra Carol'la beraber, "Booth 7" adlı kafeteryaya gittik. Burası Carol ve arkadaşlarının buluşma yeri. Pazartesiden cumaya kadar her gün saat 10.00'da, 7 numaralı masada bir araya gelip kahve içiyorlar. Toplantıya katılanların sayısı her seferinde değişiyor. En az üç, en çok on iki kişi olabiliyorlarmış.

Bugün yaşlı bir kadının doğum günüydü. Onun için de kahveleri o ısmarladı.

Dışarı çıktığımızda, çevrede farklı bir hareketlilik olduğu çarptı gözüme. Postanenin önünde, "Minnesota Kutlamaları" için bir etkinlik masası kurulmuştu. Görevli kadınla tanıştık ve haftalık programı aldık. Bu akşam ailece konuşup hangilerine katılacağımıza karar vereceğiz.

Carol'la mağazaya gittiğimizde, genç bir kadın içeriye durmadan minik bavullar taşıyordu. Meğer hepsinin içi takı ve mücevher doluymuş...

Zavallı kadıncağız, kan ter içinde tam kırk beş dakika bavul açtı, bavul kapadı; torbalar çıkardı, kadife kutular uzattı. Her şey çok güzel, ama çok da pahalıydı!

Anneme bir şeyler alabilmeyi ne kadar isterdim... "Ya beğenmezse" korkusu olmasaydı, paraya kıyıp zarif bir yüzük ya da bir çift küpe alırdım belki... Cesaret edemedim doğrusu.

Onca harika takının arasından yalnızca, sıra arkadaşım Aslı için küçücük bir kolye seçtim. Kendime hiçbir şey almadım. Seyretmek bile bana yetmişti...

Maç saatine epey zamanımız vardı. Gene bir sürü alışveriş yapan Mr. Wilson'la beraber eve döndük.

Bu kocaman karton kesekâğıtlarını boşaltmaya bayılıyorum. Üç yeni mısır gevreği, bir galon normal kola, bir galon diyet kola, bir galon şekerli soda ve süt... İşte Amerikalıların günlük tüketim maddeleri...

İşim bitince, garajdaki üç koca bisikletten en küçüğünü seçtim. Yalnızca bir kez kaybolarak, Caro Lin's'e ulaştım. Benim için büyük başarı!

Burada bisiklet sürücülüğümün gelişeceği kesin! Bisiklete binme konusundaki yeteneksizliğimi kendine dert edinen canım kardeşim, gelse de ablasını görse...

Şu anda saat 20.00'ye geliyor. Hava henüz aydınlık. 21.30'dan önce de kararmıyor zaten...

Bugünkü golf maçında berabere kaldık.

Burada herkes, ama herkes golf oynuyor. Bize eşlik eden golf oyuncusu Miss. Rice, tam yetmiş yaşındaydı.

Bir an için; kırmızı bermuda şort, kırmızı beyaz çizgili tenis çorapları ve golf ayakkabılarıyla anneannemi düşündüm... Neden olmasın?

Miss Rice, golf oynamaya başladığı elli altı yaşından beri bulaşık, çamaşır ve diğer ev işlerinin, onun için sorun olmaktan çıktığını söylüyor.

Maçtan sonra ahşap ve görkemli bir yapı olan golf binasının üstündeki restorana çıktık.

Tanışmam gereken insanların sayısı azalacağına, her geçen gün katlanarak artıyor. Her masada mola vererek, ancak yarım saatte yerimize oturabildik. Carol'ın iki arkadaşı da bize katıldıktan sonra, yemeklerimizi ısmarladık.

Tabağımdaki tatlı soslu patates salatasına dokunmadım bile. Neyse ki, yumuşacık susamlı hamburger ekmeğinin arasına koyduğum kızarmış tavuk, marul ve domates ağız tadıma uygundu.

Yemekten sonra Caro Lin's'e uğradık. Benim cumartesi gecesi giyeceğim, 1950 model ve 1950'den kalma muhteşem elbisemi aldık. O gece, üzerimde bu elbiseyle, 1950'li yılların müziği eşliğinde dans etmekle görevliyim!

Bir de özel röportaj yapılacakmış. Yerel bir Amerikan radyosunda yayınlanacak olan röportajın kiminle yapılacağını tahmin edin... Benimle!

Günün son sürprizi, bizdekilerin dört katı büyüklükteki, devasa bir itfaiye kamyonuna binmem oldu...

Dün Wilsonlara, kamyona binmenin hoşuma gideceğini söylemiştim. Unutmamışlar! Üstelik, bu isteğimi yerine getirebilmek için, benden habersiz planlar yapmışlar.

Eve dönerken, itfaiye binasının önünde durduk. Gıcır gıcır itfaiye arabalarının arasında, ilginç giysili itfaiyecilerle tanıştım. Hepsi de en az dünkü polis kadar güler yüzlü ve cana yakındı.

Benim meraklı halim hoşlarına gitmişti. Tüm sorularımı sabırla yanıtladılar. Kısa sürede, kamyonların yaşını ve beygir gücünü, her araçta kaç kişinin bulunabileceğini, elimi attığım aletlerin ne işe yaradıklarını öğrenmiştim.

Geceleri kırmızı araçlar siyah göründüğünden, sarı olanlar kullanılıyormuş. Beni de en büyük ve fosforlu sarı itfaiye kamyonuna bindirdiler. Bu, gökyüzüne yeryüzünden daha yakın olan araca tırmanmak pek zor olmadı. Ancak içi, diğerlerine göre çok karmaşıktı. Tüm aletleri tanıyabilmem, epey zaman aldı.

Son görevini geçen hafta, bir araba kazası sırasında gerçekleştiren sevgili kamyonumdan aşağıya indim. Bana bu mutluluğu yaşatan şirin ve özverili itfaiyecilere tekrar tekrar teşekkür ettim.

Hem onlara, hem de kullandıkları araçlara fazla iş çıkmamasını dileyerek oradan ayrıldık.

27 Haziran

Dean'ın Ev Konseri

Dün akşam, tam günlüğümü kapatıp televizyonun karşısına geçmiştim ki, Dean içeriye girdi.

Elinde çingene pembesi golf çantası, "Yorgunluktan ölüyorum! Doğruca yatmaya gidiyorum," diye oflaya poflaya odasına doğru yürüdü.

Ben de mutfağa geçip Türkiye'den getirdiğim elma çayını hazırlamaya koyuldum. Su ısınırken, içeriden gelen seslerle irkildim. Bu Dean'dı! Ses ise çaldığı saksofondan geliyordu.

Başarmıştım! Onu saksofon çalmaya razı etmiştim...

Dean, saksofon çalmadaki başarısı nedeniyle, ayın öğrencisi seçilmiş ve bir plaket kazanmıştı. Ama, anne ve babasının ısrarlarıyla çalmaktan nefret ediyordu.

Mr. ve Mrs. Wilson, onu ancak benim yüreklendirebileceğimi söyleyince, bu işi çözmeye karar vermiştim ve hemen çalışmalarıma başlamıştım.

Golf sahasında top koştururken, "Biliyor musun Dean, bu gece hayatımın en unutulmaz gecelerinden biri olacak," dedim.

Tabi ki ona, "Niçin?" sorusunu sordurmayı amaçlıyordum ve başardım.

"Çünkü," dedim. "Odandaki o kocaman nesneyi benim için çalacaksın. Bunu öyle çok istiyorum ki..."

Yaklaşımı pek iç açıcı değildi. Başını iki yana sallayıp uzaklaştı.

Ama işte çalıyordu!

Elma çayını, kaynamaya yüz tutan suyu öylece bırakıp yanına koştum.

Kapının ağzında, bu nefis konserin bitmesini bekledim. Ardından da, Dean'ın zevkle ve gururla yanıtlayacağı soruları sıralamaya başladım.

Saksofon nasıl bir aletti? Hangi maddelerden yapılmıştı? Şuradaki üç düğme ne işe yarıyordu? Bu güzel sesleri çıkarabilmek için, ağzını nasıl dayaması gerekiyordu? Metottaki bütün parçaları çalabiliyor muydu? Hiç durmadan, ne kadar süre üfleyebiliyordu? (Yarım saat!) Ben de becerebilir miydim?

"Neden olmasın?" dedi Dean.

İlk kez elime aldığım bu saksofonu üflemeye başlayınca çıkan seslerin komikliği, yalnız bizi değil, tüm ev halkını kahkahaya boğdu.

Artık başarımızı kutlayabilirdik... Dean'la beraber mutfağa geçtik. Ben kaldığım yerden, Mr. ve Mrs. Wilson'ı elma çayı içmeye devam ettim. Dean ise bodrum katındaki derin dondurucudan ikimiz için dondurma getirdi. (Burada bir yıl yetecek kadar dondurmayı kovalar içinde depoluyorlar.) Süt ve çilekle karıştırıp nefis bir içecek hazırladı. Kocaman iki karton bardağa doldurdu, içlerine birer kamış attı.

Biraz sonra elimde servis tepsisiyle, oturma odasının ortasında Mr. ve Mrs. Wilson'dan gelen tebrikleri kabul ediyordum. Söylediklerine göre bu, Dean'ın kendi isteğiyle verdiği ilk "ev konseri"ydi ve benim çabalarımla gerçekleşmişti.

Mr. Wilson, insanları ikna yeteneğimin çok yüksek olduğunu, eğer istersem çok iyi bir ruh bilimci olabileceğimi söyledi. (Ufukta, seçebileceğim yeni bir meslek görünüyor galiba...)

Wilsonlar elma çaylarını zevkle yudumlarken, ben de büyücek bir kartona "tavla" şekli çizmeye çalışıyordum. Bir yandan da tavlanın Türkiye'de çok sevilen bir oyun olduğunu anlatıyordum.

Jay birden yerinden fırladı, tavan arasında bunun gerçeğinin olduğunu söyledi ve koşup getirdi. Şaşırmıştım. Doğrusu, orada bir tavla bulunabileceği hiç aklıma gelmemişti.

Jay'le sıkı bir tavla maçı yaptık. Hayır, bu oyunu benim kadar iyi oynayamıyordu!

Gelelim bu sabaha...

08.30'da uyandım. Yalnızca bir bardak portakal suyu içip Caro Lin's'e gittim. Çünkü saat 09.00'da, özel bir takı pazarlamacısı gelecekti.

Yılda dört kez gelen bu pazarlamacı kadın, tamı tamına bir buçuk saatimizi aldı. Yedi bavul dolusu mor kadife kutu, bir dükkânı ağzına kadar doldurabilecek sayıda kolye, bilezik, küpe, toka, broş... Harikaydı!

Ardından, kasabayı fethetmeye çıktım! Niyetim dükkânları tek tek dolaşmaktı. Ama 10.30'da girdiğim eczaneden 12.00'de çıkınca, bütün planlarım altüst oldu. (Eczaneyle aramda gizli bir bağ var sanki... Anneme ve babama duyduğum özlemden mi acaba?)

Komşumuz Mrs. Esser, beni ve benimle röportaj yapacak olan gazeteci Robin'i, tanıştırmak üzere, öğle yemeğine davet etmişti. Benim için heyecan verici bir buluşma olacaktı.

Mrs. Esser'le beraber, önce gazeteye gittik. Gazete çalışanlarının yoğun ilgisi, gene benim üzerimdeydi. Uzunca bir süre sohbet ettikten sonra, Robin'i alıp yemeğe çıktık.

Robin genç bir gazeteci. Benimle röportaj yapma görevinin kendisine verilmesinden de çok memnun... Bana dünya kadar şey sordu, gazeteye basılmak üzere resimler istedi.

Türkiye ve Türkler, burada yaşayanlar için, tam bir kapalı kutu ve bu kutunun kapağını ben aralayacağım. İşim zor! Yüklendiğim sorumluluğun bilincindeyim. Bu milli görevi, böyle güzel bir ortamda ve neşeyle yerine getirmek ise, hoş bir ayrıcalık bence...

Bir yandan Robin'in sorularını yanıtlamaya çalışırken, bir yandan da Mrs. Esser'in ısrarlı ikramlarıyla boğuşuyordum. Bu karmaşa arasında, ne yediğimi anlamadım, desem yeridir. Ancak, tatlı sosların dışında her şey iyiydi diyebilirim. Bir de severek aldığım salatalık turşusu tatlı çıkmasaydı...

Amerikalıların ağızlarında hem tatlı, hem de tuzlu tadı bir arada barındırabilmeleri ve midelerinin bu durumdan bulanmaması gerçekten şaşırtıcı...

Sohbetimizin en tatlı yerinde Gina çıkageldi. (Peder Nelson'ın güzel kızı.) Beraberce Tom Cruise'un *Yıldırım Günleri* filmine gidip gidemeyeceğimizi sordu. Buna çok sevineceğimi, ancak önce Wilsonlardan izin almam gerektiğini söyledim.

Eve döndüğümde Mr. Wilson balığa çıkmaya hazırlanıyordu. Carol'la ikisinden sinemaya gitmek için izin istedim. Hayır, demeyeceklerini biliyordum, ama bu davranışımla gönüllerini bir kez daha kazandığımı hissettim.

Mr. Wilson'ı birkaç günlük göl ve balık serüvenine yolculadıktan az sonra Gina geldi. Onun kocaman arabasıyla yarım saat uzaklıktaki Worthington'a, sinemaya gittik. Ve o nefis filmi seyrettik.

Bugün gerçekten çok eğlendim...

28 Haziran

Fırtına

Sabah kahvaltısından sonra, televizyonun başına oturdum. İlginç ve komik bir diziyi zevkle seyrederken, ekranın altından fırtına haberi veren bir altyazı geçti. Jay'in söylediğine göre fırtınanın şiddeti, Mr. Wilson'ın balığa gittiği yerde daha da fazla hissedilecekmiş.

Tam, babalar ve kızları arasındaki bir tartışma programına kendimi kaptırmıştım ki, hava aniden kararıverdi.

Şimşekler çakmaya başladı. Ardından da şiddetli bir sağanak... (Yaşadığımız, tam bir "Yıldırım Günü"ydü. Ama bu kez yıldırımlara Tom Cruise eşlik etmiyordu.)

Yağmur ve ardı ardına çakan şimşekler bizi eve bağlamıştı. Jay ve Dean'la beraber, ünlü basketçi Michael Jordan'ı konu alan bir video filmi seyrettik. Jay'le Dean, kendilerinin de en az Michael Jordan kadar iyi basketçi olduklarını söyleyerek beni güldürdüler.

Dean, söylediklerini kanıtlamak için, kendi basket maçının video filmini seyrettirdi bana. Michael Jordan ile aralarındaki tek fark, Dean'ın teninin biraz daha koyu renkte olmasıydı(!).

Biz tartışırken Carol telefon etti. Umduğumun aksine, fırtınayı ve Mr. Wilson'ın ne halde olduğunu pek merak etmiyordu. Ben de biraz rahatladım. Demek ki, endişelenecek bir durum yoktu.

Carol, beni Caro Lin's'e, sezonluk giysi satan bir pazarlamacının düzenlediği defileye çağırdı.

Defile saatine kadar, yeni gelen kutulardaki elbiseleri torbalardan çıkarıp askılarına astık. Bu arada, oğlunun yirmi altı yıl önce Türkiye'de bulunduğunu söyleyen, yaşlıca bir kadınla tanıştım. Birbirimizi yirmi altı yıldır tanıyormuş gibi kucaklaşmamız görülmeye değerdi.

Sonunda beklenen pazarlamacı geldi. Getirdiği elbiseleri, mağazanın karşılıklı iki duvarı boyunca uzanan askılara astı. Yere de iki kazak atıp kendince estetik bir tablo yarattı.

Bizden başka seyircisi olmayan, bir buçuk saatlik bu defileyi izlemek güzeldi. Bin bir çeşit giysi; nefis desenler, renkler, modeller...

Pazarlamacıyla işi bittikten sonra, giysileri toplarken biraz sohbet ettik. Bana izlenimlerimi sordu. Ben de açık açık, bu güzel şeylerin bu kadar pahalı olmasının üzücü olduğunu söyledim.

Şimdi evde televizyon seyrediyoruz. Yeni bir fırtına haberi verildi.

Buradakiler ne kadar sakin olursa olsun, ben Mr. Wilson için çok endişeliyim...

29 Haziran

Çamaşır Günüm

Sabah, fırtına sonrası hava, hiçbir şey olmamışçasına güzeldi.

Portakal suyu içtim. Ardından, blumik (yemek yedikten sonra, kusarak zayıflamaya çalışan) kızları konu alan bir tartışma programı izledim. Bu tür programlar, hem İngilizce anlama yeteneğimi geliştiriyor, hem de Amerikan toplumunu daha iyi tanımam yönünden yararlı oluyor.

Televizyonda Oscar kazanmış filmlerden klasiklere, Susam Sokağı'ndan Mavi Ay'ın tekrar bölümlerine, Lassie'den bizde de gösterilen pembe dizilere kadar ne ararsanız var. Ancak benim, bunların hepsini seyredecek zamanım yok...

Wilsonlar, yıllığı en az yüz dolar olan, çok sayıda dergiye üyeler. Sabahları gazetelerle beraber gelen yığınla dergi, her gün en az bir saatimi alıyor. Bunlar dışında; o hiç giyilmeyen, ama magazin sayfalarını süsleyen, bol sıfırlı rakamlarla tanıtımı yapılan giysilerin firmaları da Caro Lin's'e durmadan dergi gönderiyorlar.

Televizyona ve gazete-dergi yığınına istemeden veda ederek, alt kattaki çamaşırhaneye indim. Kurutma makinesinden kurumuş olanları çıkarıp kirli çamaşırlarımı makineye yerleştirdim. (Burada herkes çamaşırını kendi yıkıyor!)

Sonra da, saat 13.00'te gelecek olan kıyafet satıcısını izlemek için mağazaya kadar yürüdüm.

Dean adlı çok konuşan satıcının gösterdiği giysiler gerçekten de harikaydı. Ama, onun ardından gelen mücevher satıcısı, yorucu bir gün geçirmiş olan Carol'ı çileden çıkarmaya yetti. Sihirbaz kutusuna benzeyen, upuzun siyah çantadan çıkardığı irili ufaklı kutucuklar, bitmek tükenmek bilmiyordu.

Ben bile, "Artık bu tür şeyleri görmek istemiyorum!" diye isyan ettim.

Eve dönünce, kurutma makinesinden çamaşırlarımı çıkardım, yerlerine yerleştirdim.

Bu arada, Mr. ve Mrs. Wilson'ın su yatağında oluşan hava baloncuklarının, nasıl çıkarıldığını öğrendim. Carol'ın ısrarıyla bu görkemli yatağa uzandığımda, böyle bir yatakta asla uyuyamayacağımı düşündüm. Hele bir seferinde, Mr. ve Mrs. Wilson uyurlarken yatağın patladığını ve ikisinin de sırılsıklam ıslandığını duyduktan sonra...

Carol'ın "yemek yapma" gibi bir alışkanlığı yok! Evin ahçısı Mr. Wilson da olmayınca, Carol telefonla yemek ısmarladı. Tavuk, salata ve benim için özel bir salatalık turşusu...

Yemekten sonra, şekli bizimkilere benzemeyen, uzunca karpuzlardan bir tanesini kestim. Üzerine birkaç dilim kavunla birkaç çilek ve üzüm tanesi attım. Oturma odasında, yorgun ayaklarını uzatarak dinlenmeye çalışan Carol'a götürdüm.

Attığı sevinç çığlıkları, böyle bir ikramı daha önce hiç görmediğini gösteriyordu...

Carol'ı evde bırakıp, Dean ve bir arkadaşıyla beraber havuza, yüzmeye gittik. Havuzun çevresi insan kaynıyordu. Ama nedense, hiç kimse yüzmüyordu. Mermer taşların üzerinde yürümekle yetiniyorlardı.

Dayanamadım, "cup" diye suya atlayıverdim. Kafamı sudan çıkardığımda bir de ne göreyim? Dean eliyle "gel gel" diye işaret ediyor. Meğer, dinlenme saati değil miymiş? Beni uyarmadığı için Dean'a çok kızdım.

Havuz açılınca, tam bir saat durmadan yüzdük, atladık, daldık, yarıştık...

Sonra hep beraber eve döndük. Onlara müthiş kart oyunlarımdan gösterdim. Bayıldılar!

Yarın Minnesota'nın "kutlama haftası" başlıyor. Üzerimde 1950 model, o harika elbiseyle kasabanın ortasında 1950'li yılları canlandıracağımı düşünmek, içimi heyecanla dolduruyor.

Yaşamımın unutulmaz günlerinden birine uyanmak üzere, iyi geceler...

30 Haziran

Kutlama Gününde Bir Türk Kızı

Bu sabah Carol beni, can arkadaşım Ece'nin Türkiye'den gelen mektubuyla uyandırdı.

(Şu anda saat 24.00. Oturma odasında, mavi koltuğuma uzanmış, günlük yazıyorum. Biraz önce Carol'ın hazırladığı, ilaçlı sıcak su dolu kovadan çıkardığım, altları su toplamış ayaklarım, Jay tarafından tedavi ediliyor. Dün havuz kenarında koşarak yarış yaparken, ayaklarımı fena halde örselemişim. Onlar da beni, bu önemli ve yoğun günümde yarı yolda bırakıverdiler...)

Kahvaltıdan sonra mutfağa girdim. Mr. Wilson yoktu ve iş başa düşmüştü. Domates çorbası pişirecektim!

Aman Allah'ım, bu iş hiç de göründüğü kadar kolay değilmiş! Tüm malzemeleri göz kararı koyduğumdan, un ve yağ, tam bir hamur oluşturmaz mı? Üzerine eklediğim salça ise, iyice paniğe kapılmama yol açtı. Durmadan su koyarak, içinde hamur parçacıklarının yüzdüğü, korkunç bir bulamaç elde ettim.

Neyse ki, hepsini birden süzgeçten geçirerek işleri yoluna koyabildim. Bunları yaparken, bir yandan da kimsenin yanıma gelmemesi için dualar ediyordum.

Sonunda, ortaya umduğumdan da nefis bir çorba çıktı. Aferin bana!

O sırada, Carol'ın Minneapolis'te yaşayan kardeşi Mary ile kızları Rachel ve Erin geldiler. Yaptığım çorbanın, hep beraber yiyeceğimiz tek yemek olacağını nereden bilebilirdim?

Onlar da tarçınlı hamur getirmişlerdi. Hemen fırına sürdük. Üzerine tereyağı sürüp, pudra şekeri ektik. Pek hoş görünüyorlardı doğrusu...

Mary ve kızlarıyla hemen kaynaşıvermiştik. Hep beraber soframızı hazırladık. Pişirdiklerimizin yanı sıra kaşar peyniri, karpuz, süt ve kızarmış ekmekle masamızı donattık.

Yemek faslı, sohbetle karışınca epey uzadı. Bulaşıkları yıkadıktan sonra (Mr. Wilson'ın tüm işlerini yüklenmiş gibiyim), Caro Lin's'e gittik. Mary ve kızları, kutlamalar sırasında giyecekleri elbiseleri seçeceklerdi.

Üçünün birden gördükleri her şeyi giyip çıkarmaları ve her parça için fikrimi sormaları başımı döndürdü.

İşleri bitince, hep beraber Ay'dan gelen taşı görmek üzere kasabanın müzesine gittik. Bize, geldiğim gün tanıştığım, Minnesota kutlamalarının düzenleyicisi Mr. Brown eşlik ediyordu.

Müze, tek kelimeyle harikaydı! Beni şaşırtan ilk şey büyüklüğü oldu. İçinde, tüm ayrıntıların maketlerle sembolize edildiği küçük bir kent vardı. Eski zaman evleriyle, postanesiyle, dükkânlarıyla minyatür bir kent... Ayrıca üstü nakışlı sobalar, eski tip ev eşyaları...

Mr. Brown beni, NASA kokan uzay bölümüne götürdü ve içinde Ay'dan gelen taşın bulunduğu, cam piramidin başına oturttu. O ışıkta iyi fotoğraf alınamaz diye, piramidin içindeki ışıkları kapattırdı ve birkaç poz fotoğrafımı çekti. Bunu, bir uzay gemisinin maketi önünde çektirdiğim fotoğraflar izledi.

Tam, havada infilak eden uzay aracıyla ilgili bir şeyler soruyordum ki, Mr. Brown içeriye koştu. Bana, aracın ve içindekilerin resimlerini getirdi. Üzüntü verici olsa da çok önemli belgelerdi bunlar...

(Şu anda Carol ve Mary, iki parça kâğıt havluya ilaç döküp getirdiler. Ayağıma sardık. Erin bile durmadan ayağımı soruyor. Bu insanları seviyorum...)

Artık eve dönüp hazırlanma zamanı gelmişti. Heyecandan içim içime sığmıyordu...

Carol'ın yardımıyla 1950 model elbisemi, eteğine kabarıklık veren jüponla beraber giyindim. Bu harika elbiseyi, kasabalı bir kadın benim için özel olarak vermiş...

Carol yakama, gene 1950'li yılları çağrıştıran, renkli, minik mandallar taktı. Özenle taradığı saçlarıma kocaman bir kurdele iliştirdi. Dudaklarıma da kıpkırmızı ruj sürünce hazır olmuştum.

Carol, iki adım geri çekildi.

"Harika oldun!" diye sevinçle haykırdı.

Kasabanın ana caddesi, ilk kez bu kadar kalabalıktı. Her yaştan insan, coşku içinde sokaklara dökülmüştü.

Bugünün şerefine, süpermarketlerdeki ikramlar bedavaydı. Limonatalar, pizzalar, dondurmalar... Bu insanların hiç para sorunu olmadığı açıkça görülüyordu.

Özellikle yaşlı kadınların hayranlık dolu bakışları üzerimdeydi. Galiba, kendi gençlik günlerini bende görüyor, bende yaşıyorlardı...

"Çok güzelsin,", "Elbisen harika,", "Rüya gibisin," sözlerine gülerek ve el sallayarak yanıt veriyordum. Ama asıl hoş olanı, kendi aralarında "Türk kızı,", "Türkiye'den," diye konuşmalarıydı. Bunları duydukça, yüreğim yerinden fırlayacak gibi oluyordu.

Arada bir, gözüm bir aynaya takıldığında, kendimi tanıyamıyordum. Ama, kasaba da dünkü kasaba değildi ki... Tüm insanların, giyim ve davranış olarak eskiye dönebilmeleri ve o günleri bu kadar güzel canlandırmaları, gerçekten inanılmazdı.

Yol boyunca, karşımıza çıkan herkesle selamlaşarak, adım adım, dans pistine doğru yürüdük. Burası, anneannemle dedem yaşındaki -ya da o görünümdeki- insanların dans ettiği geniş bir alandı. Amerika'nın dörtbir yanından gelen çiftler, tüm dansları en güzel şekilde ve kurallarına uygun olarak sergiliyorlardı.

Büyülenmiş gibi onları izlerken, Mr. Brown yanıma geldi ve beni orada bulunan insanlara tanıtmak istediğini söyledi.

O, "Burada Türkiye'den biri var mı?" diye soracaktı. Ben de el kaldıracaktım.

Dediği gibi de yaptık!

En az yetmiş dansçı ve onları seyreden tüm insanlar kenara çekildiler. Kocaman bir kameranın karşısında, elimde mikrofonla kalakalmıştım.

İlk şaşkınlık anını atlatınca, kendime bile yabancı gelen bir sesle konuşmaya başladım. Böyle güzel bir günde orada, onların arasında bulunmaktan ve Türkiye'yi temsil etmekten çok mutluydum... Herkese ülkemden sevgiler ve selamlar getirmiştim. Keşke Türkiye'deki kutlama günlerinde de hep beraber olabilseydik...

Heyecandan yıkılacak gibiydim. Ama, duyduğum alkışlar beni diriltti.

Mary ve Rachel'in söylediğine göre, arabalarında oturarak töreni izleyenler, konuşmam esnasında korna çalarak beni selamlamışlar.

Mr. Brown, konuşmamın çok başarılı olduğunu söyledi ve beni kutladı. Bunu, tanıdığım tanımadığım yüzlerce kişinin kutlaması izledi.

Gördüklerim gerçek miydi, yoksa düşte miydim, bilemiyorum. Bildiğim tek şey, yaşadıklarımın çok güzel olduğuydu...

Biraz sonra Jay, Rachel'le beni Iowa'daki Lakedown'a götürdü. Burası, lunapark-panayır karışımı bir yerdi.

Orta yerde bir açık hava diskosu vardı. Uzun saçlı, serseri kılıklı bir grup genç şarkı söylüyordu.

Radar, atışlar, bin bir çeşit oyuncak, kuklalar... Hepsi görülmeye değerdi. Çok eğlendik...

Evimize döndüğümüzde, tüm ev halkının ayaklarımla ilgili soruları, beni kendime getirdi: Gün boyunca, ayaklarımdaki su kabarcıklarının zonklamasını duymamıştım bile...

1 Temmuz

Bir Güzellik Yarışması

Bu sabah kalktığımda, beraber olmaktan çok hoşlandığım Mary ve kızları gitmişlerdi.

Jay'le baş başa yaptığımız kahvaltıdan sonra, garajdan şezlonglarımızı aldık; evimize çapraz konumdaki parka, kilise törenine gittik. Burası Protestan ve Katolik, yüzlerce insanın bir araya geldiği bir açık hava kilisesiydi.

Beraberce söylenen ilahiler, diyalog şeklinde birbirini izleyen dualar ve aralarındaki bağları güçlendirdiğini düşündüğüm, espri içeren vaazlar...

Bu törenlere alıştım artık. Orada bulunmamın günah olmadığına inanıyorum. Hem, Hıristiyanlar da bizim camilerimizi gezmiyorlar mı? Kilise de cami de Allah'a inananların evi değil mi?

Ayrıca onların dini törenlerini izlemek, bu konuda benim için karanlık olan noktalara da ışık tutuyor. Onlar kendi dinlerinde ibadet ederken, ben de sessizce kendi dinimin dualarını okuyorum... İçim huzur doluyor.

Törenin ardından, Jay'le beraber, parkın bir köşesinde dağıtılan yemeklerden almaya gittik. İçinde domuz eti olup olmadığını sormaktan yorulduğum bir sürü yiyecek... Bana uygun olan; bir tek, sığır etinden yapılmış hamburgerdi. Yanında patates cipsi ve ilk kez tadına baktığım, çingene pembesi meyve suyuyla tabağımı alıp masaya oturdum.

Masamızda Mr. ve Mrs. Esser, Mr. ve Mrs. Throndset (eczacı aile) ile dünya tatlısı kızları Sasha vardı. Sasha da on altı yaşındaydı ve çok iyi anlaşıyorduk.

Akşam, Heron Lake'de "Miss Amerika Güzellik Yarışması"nın ilk basamağı olan bir yarışma yapılacaktı. Mrs. Throndset, Sasha, Mrs. Esser ve ben, bu yarışmaya gitmeyi kararlaştırarak evlerimize dağıldık.

Öğleden sonra Mr. Wilson balıktan döndü! Hepimiz onu çok özlemiştik. Anlatacak o kadar çok şeyi vardı ki...

Akşam 19.00'da başlayacak yarışmaya yarım saat önce gittik.

Önce, yaşı küçük olan kızlar arasında bir seçim yapıldı. Benim de çok beğendiğim, sarışın küçük kız birinci oldu. Ardından, esas yarışmaya geçildi.

Adı okunan yarışmacı kızlar, önce anne ve babalarıyla beraber sahneye çıkıyorlardı. Kendi anne ve babama duyduğum özlemden olsa gerek, bu bölüme bayıldım.

Sonra, 1920'lerden kalma giysilerle dans ettiler, şarkılar söylediler. Taşıdıkları çiçekler ve aksesuvarlar göz kamaştırıcıydı.

Yarışmacıların çoğu Mr. Wilson'ın öğrencisiydi. Hepsi de birbirinden güzel ve yetenekliydi. Ama, Miss Heron Lake yani seçilen güzel, sergilediği harika dansla yalnız beni değil, jüriyi de büyülemişti.

Yarışmadan sonra, bütün kızlarla tanışıp tokalaştım. Birinci seçilen güzeli kutlarken, benim favorimin de o olduğunu fısıldayıverdim.

Dönüş yolunda Mrs. Esser, benim tüm yarışmacılardan daha güzel olduğumu söyledi. Çünkü, ona göre ben, hepsinden daha akıllıydım.

Gerçeklik derecesi tartışılsa da, bunlar, gece boyunca duyduğum en güzel sözlerdi...

2 Temmuz

Ah, Mr. Wilson'ın Yemekleri!...

Bugün ilk kez, havanın sıcaklığına ve nemine isyan ettim! Sabah kalktığımda, ısı derecesini ve nem oranını kontrol etmek için, arka kapıdan başımı şöyle bir uzattım. Yüzüme çarpan hava, nefes alınamayacak kadar sıcak, nemli ve boğucuydu.

İlk günlerde, buranın iklimini İzmir'inkine benzetmekle, meğer ne büyük hata etmişim. İzmir'in en sıcak gününde bile baharı yaşıyormuşuz da haberimiz yokmuş.

Herkesin arabasında, evinde, işyerinde klima var. Onun için de kimse sıcağı umursamıyor. Yani, dışarıda uzun süre kalmak zorunda değilseniz şanslısınız...

Öğleden sonra, Dean'ın beysbol maçını izlemek için açık havada birkaç saat geçirince, klima bulunan ortamların değerini bir kez daha anladım.

Maçtan eve dönünce, Carol'a sac kavurmaya benzer bir yemek yapmasında yardımcı oldum. (Mr. Wilson yeni döndüğü için konuk sayılıyor! Yemekler bizden...)

Dört ayak üzerine oturmuş, elektrikli, kırmızı bir tencerede pişen yemek, görünüm olarak harikaydı! Öyle ki, fotoğrafını çekmekten kendimi alamadım. Ama, tadı için aynı şeyleri söyleyemeyeceğim.

Az pişmiş soğan, havuç, bezelye, mantar, kestane, demet demet yeşil otlar ve et... Bir de, ancak tuz ve karabiber yağmuruna tutulunca bir şeye benzeyen kalın makarnalar...

Bu tür tatlara alışık değilim, alışabileceğimi de hiç sanmıyorum! (Gel de Mr. Wilson'ın yemeklerini arama.)

Yemekten sonra, okul salonunda verilecek konser ve sihirbazlık gösterisine gittik.

Folk müziği yapan dört müzisyen, aslında bir aile grubuydu. Sağ elinde iki parmağı olan gitarist, grubun başıydı. Yanında ona eşlik eden oğlunun ise bir bacağı diğerinden daha kısaydı. Bunu dengelemek için, altı dolgu çizmeler giymişti.

İçlerinde en şirin olanı, grubun solistiydi. Başında Meksika şapkası, durmadan espriler yaparak, neşeli şarkılar söylüyordu. Yanında da çok sayıda müzik aletini başarıyla çalabilen sekiz yaşındaki oğlu vardı.

Gösterinin yarısında bir ara verildi. O da nesi? Sahnenin önünde bana el sallayan, Mr. Brown değil miydi?

Evet, oydu! Ve... "Türkiye'den Renan Tan!" diye, beni sahneye davet ediyordu.

Galiba ona, tüm Amerika'nın beni tanıması gerekmediğini anlatamayacağım. Elinde olsa, uydu aracılığıyla, beni tüm dünyaya tanıtacak.

Gene de hakkını yememeliyim. Çıkışta, kalabalık arasında güçlükle ilerlerken, bir salon dolusu insanın daha beni tanıyor olması, gülerek yol açmaya çalışmaları hoştu doğrusu.

Bakalım Mr. Brown bana, daha ne sürprizler hazırlıyor!

3 Temmuz

Ders Başlıyor...

Bugün benim için çok hareketli bir gündü.

Sabah 06.30'da Heron Lake'e çilek toplamaya gittik. Dönüşte Mrs. Esser ve Mr. Wilson'ın patronunun eşi olan Mrs. Bush ile küçük bir kafeteryada kahvaltı yaptık. Bu arada Mrs. Bush bana, eyaletin bir bayrağını armağan etti.

Evde Arnold Schwarzenegger'in *Komando* filmini seyrederek biraz dinlendikten sonra, Wortington'a gittik. (Gina'yla sinemaya gittiğimiz yer)

Burada, ne ararsanız bulabileceğiniz, sayısız mağazaya girip çıktık. Almak istediğim o kadar çok şey vardı ki...

Öncelikle Sinan için uygun bir şeyler arıyordum. Canım kardeşimi öyle özlemiştim ki; bütün paramı, hiç gözümü kırpmadan onun için harcayabilirdim.

Mr. Wilson, gelecek hafta gideceğimiz bir başka eyalette, bu mağazaların on katı daha büyüklerini göreceğimizi söyledi. Ben de hevesimi sonraya saklamaya karar verdim.

Eve dönünce Dean'a, Türkçe "seni seviyorum" demeyi öğrettim. Merdivenleri, "Seni seyuro," diye inip çıkarak, dersini ezberlemeye çalışması, beni çok eğlendirdi.

Eh, ben de biraz ders çalışmalıydım artık!

Mr. Wilson'a, kitaplarını görmek istediğimi söyledim. Çok geçmeden, benim düzeyimde kucak dolusu matematik kitabını getirip masaya yığıverdi. İstersem bana yardımcı olabileceğini söylemeyi de ihmal etmedi.

Önümdeki kitap yığınının içinden logaritmayla ilgili bir tanesini seçip incelemeye başladım.

Gelecek yıl gireceğim üniversite sınavı için, ilk hazırlıklara başlasam fena olmayacak galiba...

4 Temmuz

Bağımsızlık Günü Törenleri

İşte, tek saniyesi bile boş geçmeyen bir gün...

Bugün 4 Temmuz! Amerika'nın "Bağımsızlık Günü". En büyük milli bayramları...

Mr. Wilson ve Carol'la beraber, Okebana'daki geçit törenini izlemeye gittik. Her taraf bayraklarla donatılmıştı. Tüm insanlar, bayram coşkusuyla yollara dökülmüşlerdi.

Arabanın arkasından şezlonglarımızı alıp çim sahanın üzerine yerleştik.

Ardından tören başladı. Görüntüler o kadar hızlı değişiyordu ki, nereye bakacağımı şaşırmıştım.

O sırada, kocaman iki atın çektiği bir araba tam önümüzde durdu. Arabanın üzerindeki iki kişi, Mr. Wilson'ı selamladıktan sonra, "Değişim öğrencisini istiyoruz," dediler.

Mr. Wilson beni gösterdi.

Güleç yüzlü, iriyarı olanı bana, "Buraya gel!" diye seslendi.

Yolun ortasına kadar yürüyüp elimi uzattım. Benimle tanışmak istediğini sanıyordum. Oysa beni tuttuğu gibi arabaya çekiverdi. Ve hareket ettik...

Beni arabanın üzerine oturttular. Çocuklara şeker, çikolata ve sakız fırlatmamı söylediler. İnanılacak gibi değildi! Bu görkemli geçit töreninin bir parçası olmuştum...

(Cuma günü Lakefield'de, buradakinden de büyük bir tören yapılacak. O törene de üstü açık, özel bir arabayla katılmam planmış...)

İkinci turda arabaya Mr. ve Mrs. Wilson'ı da aldık. Mr. Wilson durmadan fotoğraf çekiyordu.

Törenden sonra parkı gezdik, bir konsere gittik, çeşitli oyunlara katıldık... Tüm etkinlikler, son derece eğlenceliydi.

Akşam da havai fişek gösterisini seyretmeye çıktık. Eve döndüğümüzde, ayakta duracak halim kalmamıştı.

Yarın sabah Robin, benimle gazetesi için röportaj yapacak.

Artık uyumalıyım...

5 Temmuz

Mutfak Uzmanı Margaret Teyze

Bu sabah beni erkenden uyandıran, bugün gerçekleşecek olan röportajın heyecanı olsa gerek... Ama önce, bir ziyaret yapacaktım.

Kahvaltıdan sonra, yanımızdaki yeşil evde tek başına yaşayan Margaret adlı şirin komşumuzun konuğu oldum.

Margaret, orta yaşın biraz üzerinde, torun sahibi bir ev ekonomisi öğretmeni. Carol'ın söylediğine göre, "mutfak" konusunda tam bir usta!

Laboratuvar görünümündeki geniş mutfağa girdiğimde, Carol'ın ne kadar haklı olduğunu gözlerimle gördüm. Kullandığı aletler, dolaplar dolusu pasta, yemek, ekmek tarifi içeren ansiklopediler, onun bu konulara ne kadar düşkün olduğunun göstergesiydi.

Benim için özel bir köfte pişirdi. Kendi yaptığı hamburger ekmeklerinin arasına özenle yerleştirdi. Bahçesinden topladığı taze marullarla nefis bir salata hazırladı. Seyrine doyum olmayan bir meyve salatası yaptı. Masanın üzerine kar gibi, bembeyaz bir örtü serdi. Biraz sonra, her şeyiyle Margaret'in emeği olan zevkli bir sofra bizi bekliyordu.

Tatlı bir sohbetin eşliğinde yediğimiz bu harika yemeği hiç mi hiç unutmayacağım...

Ardından, beraberce hamur hazırladık. Yağladık, açtık, kestik, birleştirdik, süsledik... Yalnızca onu seyredeceğimi sanırken, ben de kocaman bir çay simidi hazırlayıvermiştim.

Ayrılırken bana, "Sende, her yaşta insanla dost olabilme yeteneği var. Bu, herkeste bulunmaz!" dedi.

Ben de, ona, "Aynı yetenek sizde de olmasaydı, benimle bunca zamanı geçirir miydiniz?" dedim.

Güldü, sevgiyle kucakladı beni...

Gazete Röportajı

Saat 13.00'te, Mr. Wilson, Carol ve ben, Robin'le buluştuk.

Röportaj, daha önce yaptığımız samimi ve dost konuşmalardan farklı değildi. Ancak, bu kez karşımda, işini yapan, biraz ciddi bir gazeteci vardı.

Neler sormadı ki... Ailem, ülkem, doğduğum günden bu yana yaşadığım tüm önemli olaylar, meraklarım, yapmak istediklerim, Amerika hakkındaki izlenimlerim...

Bir buçuk saatlik röportajın ardından, beraberce bir resim sergisini gezdik. Resim yapmayı çok sevdiğimi, hatta seramik çalışmalarım olduğunu söyleyince, bunları da notlarına ekledi Robin.

Bu arada, hem tek başıma, hem de Wilsonlarla beraber, bir sürü fotoğraf çekti. Ancak, yarınki geçit töreninde çekeceği fotoğrafları gazetede görmek, beni daha da çok sevindirecek...

Öğleden sonra yapabileceğim iki şey vardı: Ya Mr. Wilson'la açık artırmaya gidecektim ya da Dean'la fasulye tarlalarına.

Tercihimi fasulye tarlalarından yana kullandım. Bakalım iyi ettim mi?

Fasulye Tarlasından Beysbol Sahasına...

Uçsuz bucaksız, göz alabildiğine uzanan bir tarlada, soya fasulyeleri arasında geçen üç koca saat... Benim için son derece ilginç bir deneyimdi.

Ayaklarımda Dean'ın bebek tabutu büyüklüğündeki ayakkabıları, üstümde Carol'ın bana biraz bol gelen tişörtü, başımda kocaman hasır bir şapka... Bir dakika bile durup dinlenmeden ilaç fışkırttım, zararlı bitki kopardım.

Çok zevkliydi! Üstelik emeğimin karşılığını da alacaktım. Gelecek hafta ödeyecekleri parayı harcamayıp bugünün anısına saklamayı düşünüyorum.

Bir kamyonetin arkasında eve döndük. Kendimi gerçek bir çiftçi gibi hissediyordum. O yorgunlukla, Dean'ın verdiği şekerli soda, dünyanın en güzel içeceği gibi geldi bana.

Yetmezmiş gibi, garajın önünde Dean'la en az bir saat basketbol oynadık. Kort boşalınca, oyunumuza tenisle devam ettik.

Artık dinlenmeyi planlıyordum ki, bizim gün boyunca yaptıklarımızdan habersiz olan Jay, akşam hep beraber basketbol oynamamızı teklif etmez mi? Dayanamadım, "Olur," dedim.

Gecenin 23.00'ünde, dörtbir yandan ışıklandırılmış basketbol sahasında, nefis bir müzik eşliğinde, bir potada Jay ve Dean, diğerinde ben, ölürcesine koşturduk durduk...

Bu kadar gücü nereden bulduğumu ben de bilmiyorum.

Bakalım yarın sabah yataktan nasıl kalkacağım?

6 Temmuz

Türkiye'den Renan Tan...

İşte, geldiğimden beri dillerden düşmeyen büyük kutlama günü! (Gerçekten de söyledikleri kadar varmış...)

Evde, daha sabah saatlerinde başlayan telaş, görülmeye değerdi. Tüm ev halkı, beni geçit törenine hazırlamak için seferber olmuştu.

Kahvaltıdan sonra odama gittim. Annemle beraber özenle seçtiğimiz giysilerimi dolaptan çıkardım. Mor, Türk motifi desenli şalvar pantolonumla aynı renkten, cepken tipi ceketimi giyindim. Carol'ın yardımıyla hafif bir makyaj yaptım, saçlarımı taradım. Artık hazırdım!

Beni gören Mr. Wilson uzun bir ıslık çaldı. Dean ise pek beğenmemişti galiba... Kendime benzemediğimi söyleyip duruyordu.

Evden çıktığımızda, Lakefield'daki tüm binaların boşaldığını, herkesin caddelerde, sokaklarda olduğunu gördük.

Kırmızı, üstü açık bir araba benim için hazırlanmıştı. Arka koltuğa ayaklarımı koyup arabanın üzerine çıktığımda, her şeyi tepeden seyreden sünnet çocuklarına benziyordum.

Dört büyük kartonun üzerine, beni tanıtan yazılar yazılmış ve arabanın dört bir yanına yapıştırılmıştı: "Türkiye'den Renan Tan", "Lakefield değişim öğrencisi Renan Tan-Türkiye'den", "Renan Tan-Türkiye", "Aramızdaki Türk-Renan Tan."

Başka ulustan insanların, benim ve ülkemin adını hecelemeleri; onların ağzından "Türkiye!", "Türkmüş!" sözlerini duymak; "Türkiye'de bu kadar güzel kızlar var mıymış?" diyenlerden gözlerimi kaçırmak, gerçekten çok hoştu...

Biz, caddenin iki yanını hıncahınç dolduran kalabalığın arasından geçerken, bir sunucu da elindeki mikrofonla arabaların ve bu arabadaki kişilerin özelliklerini anlatıyordu.

Sıra bana geldiğinde, heyecandan bayılacak gibiydim.

"Türkiye'den Renan Tan!"

Ülkemden binlerce kilometre ötede, bu sözleri duymak öylesine güzeldi ki...

Kulaklarımda yankılanan sesin ardından, tam bir alkış yağmurunun ortasında buluverdim kendimi. Coşkuyla tempo tutan, benim ve ülkemin adını haykıran bu insanlara el sallayıp gülücükler dağıtmaktan yorgun düşmüştüm.

Yaşadıklarım, görebileceğim en harika düşlerin bile ötesinde, sözcüklere sığmayacak kadar güzeldi...

Geçit töreni bir saatten fazla sürmüştü.

Arabadan inerken, Mr. Wilson benimle tanışmak isteyen birinin olduğunu, ama yanıma gelip tanışacak cesareti bulamadığını söyledi. Önce şaka yapıyor sandım.

"Hayır," dedi. "Onu geçit töreni sırasında iki kez gördüm. Birinde okulun önündeydi, diğerinde de parkın köşesinde... Carol'a da seninle tanışmak istediğini söylemiş."

Jay'in arkadaşı olan bu çocuğu merak etmiştim, ama karşılaşmak istediğimden emin değildim.

Bu tür konular, burada son derece doğal karşılanıyor. Herkesin karşı cinsten bir arkadaşı var. Hatta Sasha, bir kız arkadaşının erkek arkadaşından bahsederken annesi onun da, en kısa zamanda bir erkek arkadaş edinmesi gerektiğini söylemişti. Ne kadar şaşırmıştım.

Sasha'nın masasını, dansa gittiği çocuklarla çektirdiği fotoğraflar süslüyordu. Bazılarının vesikalık fotoğrafları da buzdolabının üzerine mıknatısla tutturulmuştu.

Erkek arkadaşım olmadığını söylediğimde, garip bakışlarla karşılanıyordum. Durmadan bu tür soruların sorulması, hiç de hoşuma gitmiyordu.

Onlar için olağan sayılabilirdi, ama beni asıl şaşırtan, böyle bir şeyi Mr. Wilson'ın ağzından duymak oldu. Sanki kendi babam söylemiş gibi, mahcup mahcup başımı önüme eğdim.

Eve döndüğümüzde, Dean'la arkadaşı Beckey'in geçit töreni sırasında arabalardan fırlatılan sakız, çikolata ve şekerlemelerden iki torba dolusu topladıklarını gördük.

"Artık bunları hak ettin!" diyerek bir avuç da bana verdi. Tam ona göre bir kutlama şekliydi doğrusu...

Biraz dinlendikten sonra, hep beraber parktaki konsere gittik.

Buradaki herkesin beni tanıdığını söylediğinde pek inanmamıştım, ama bunun doğru olduğundan eminim artık. Yanımdan geçenler, "Rinan", "Turkıye", "değişim öğrencisi" diye el sallıyorlardı.

Konserin ardından Mr. ve Mrs. Esser, Mr. ve Mrs. Throndset'i de alarak eve geldik. Onlara Türk kahvesi yapacaktım.

Ben kahve hazırlarken, onlar da duvara asılı panodaki fotoğraflarıma bakıyor, getirdiğim armağanları inceliyorlardı.

Oturma odasındaki masanın çevresine sıralanmış, yaptığım kahveyi neşeyle yudumlayan ve beni göklere çıkaran bu insanlara şöyle bir baktım. Sonra da, gelecek yıl göğüslemem gereken üniversite maratonunu düşündüm...

Duyduğum övgüler; bana durmadan "harika" olduğumu söyleyen insanlar; bitmek tükenmek bilmeyen sevgi gösterileri... Bunlar, beni gerçek dünyamdan ayırıyor gibiydiler.

Bu güzelliklere, önümüzdeki bir ay boyunca, sonradan özlem duymayacak kadar doyabilmeyi diliyorum.

7 Temmuz

Bisiklet Fobimi Yeniyorum

Sabah salonda kahve içerken, sohbet konumuz tabi ki dünkü geçit töreni ve kasaba halkının arasından üstü açık, özel bir arabayla geçişimdi.

Biraz televizyon seyrettikten sonra, Mr. Wilson bana bugün yapabileceğim şeylerin listesini verdi. (Bunu hep yapıyor! Kendi kızını, fazlaca etkilemeden yönlendirmeye çalışan, gerçek bir baba gibi...)

Önce Carol ve Mrs. Esser'le beraber bir sergiye gittik. Bu, şimdiye kadar gördüğüm en güzel elişi yatak örtülerinin bulunduğu bir sergiydi.

Her biri bir sanat eseri olan örtülerden bir tanesine ödül verilecekti. Birinciyi, sergiyi gezenlerin oyları belirleyecekti. En eskisi 1895 yapımı olan bu harika eserler içinden birini seçmek, öyle zordu ki...

Oyumu, 1930 yapımı olan ve tam üç bin parçadan oluşan bir örtü için kullandım. Bakalım ödül hangisinin olacak?

Sergide örtülerin yanı sıra, el emeği göz nuru başka eserler de vardı. Koridor boyunca uzanan masaların üzerini; en güzel giysi, en küçük bebek, en büyük bebek, en sevimli bebek, türlerinin en güzel örnekleri süslüyordu.

Elindeki aynaya bakan, lüle lüle saçlı, dantel elbiseli bebeğin paha biçilemeyecek kadar değerli olduğunu söyledi Carol. Hiçbirinin üzerinde fiyat yoktu, çünkü satılık değillerdi.

Bin bir çeşit bebek dolu, başka bir salona geçtiğimizde, neredeyse küçükdilimi yutacaktım. Ne yazık ki, fotoğraf makinem yanımda değildi...

Eve dönüp yemek yedikten sonra, Dean bisikletle gezmemizi önerdi. Ne söyleyebilirdim ona? Herkesin vızır vızır araba kullandığı bu ülkede, bisiklete binmekten çekindiğimi mi!... Geçen yıl, freni sıkıştırılmamış bir bisikletin üzerinden düşüp her yanımı yara bere içinde bıraktığımı, tetanos aşıları vurulduğumu, onun için de bu şirin araçtan uzak durmaya çalıştığımı anlatsam, beni anlar mıydı?

Cesur olmalıydım! Hem bir kez bisiklete binerek, tek başıma Caro Lin's'e gitmemiş miydim?

Caddelerin genişliğine, arabaların azlığına, biraz da Yaradan'a sığınarak bisiklete bindim. Ne kadar yerinde bir iş yaptığımı çok geçmeden anladım.

Lakefield caddelerinde neşeyle tur atarken, tutsağı olduğum "bisiklet fobisi"nden kurtulmanın sevincini de yaşıyordum. Bugüne kadar içimde taşıdığım korku, hızla dönen tekerleklerin altında eziliyordu sanki...

Bacağımda iki üç sıyrıkla eve döndük. Önemli bir şey değil, bisikletin pedalına sürtmüşüm de...

Akşam, Mr. Wilson bizi bir açık hava konserine götürdü. Sokağın ortasında kurulmuş, rengârenk ışıklarla süslü bir sahnede beş kişilik bir grup konser veriyordu.

Bu, eski mezunları bir araya getiren, özel bir etkinlikti. Mr. Wilson'ın yıllardır görmediği öğrencileriyle kucaklaşması, eski arkadaşlarıyla özlem gidermesi çok hoştu.

Yürüye yürüye eve döndük.

Güzel ve anlam yüklü bir geceydi...

8 Temmuz

Pazar Gezileri...

Bugün pazar.

Sabah erkenden kiliseye gittik ve çok ilginç bir gösteriye tanık oldum. Söylenen ilahilerin ardından, Mr. Wilson ve bir arkadaşı, ortaya bir masa yerleştirdiler. Sonra da çömelerek, pederin verdiği ekmeği yediler. Onları izleyen diğerleri de sırayla, upuzun masanın önünde diz çöküp, pederin dağıttığı kutsal ekmeği yemeye başladılar. Bir yandan da Mr. Wilson ve arkadaşının, minik kupalar içinde sunduğu şarabı içiyorlardı.

(Ben, ekmeğe de şaraba da el sürmedim!)

Tören bitince Jay'e, günah çıkartıp çıkartmadıklarını sordum. Meğer bu iş, Katolik kiliselerinde yapılırmış...

Kahvelerimizi içerken, Mr. Wilson'la dinlerimiz arasındaki farkı tartıştık. Kimi noktalarda çakışan, kimi noktalarda ise taban tabana zıt görüşler, düşünceler, inanışlar...

Dinlerini, Hıristiyanların kendi ağızlarından dinlemek, vaazların anlamını çözmeye çalışmak, benim için yeni bir araştırma konusuydu. Bu arada, onlar da benden, namaz ve oruç hakkında epey bilgi almışlardı.

Kiliseden çıkınca, tavada yapılan özel kekiyle (pan kek) ünlü bir kafeteryaya, kahvaltıya gittik. Yalnızca yumurta ve tava keki yedim. (İçinde domuz eti vardır diye sosis almadım.)

Kahvaltımız bittince Mr. Wilson, beni, çok iyi tanıdığım bir yere götüreceklerini söyledi. Neresi olabilirdi ki? Mr. Brown'ın bana armağan ettiği iğneyi usulca yakamdan çıkardı. "Buraya!" dedi. İğnenin üzerinde, yeşillikler arasında, üç tahta kule vardı.

Gittiğimiz yer, gerçekten de benim küçük yaka iğnemden fırlamış gibiydi. Gölü çevreleyen parkın ortasındaki kuleye tırmandık. Çevrenin güzelliğini kuşbakışı seyretmek çok hoştu...

Dönüşte, Loon Lake golf sahasından geçerken, bugüne kadar gördüğüm en ilginç evle karşılaştım. Bu, anteninden kapısına, posta kutusundan pencerelerine kadar boy boy sutyenle (evet, sutyenle!) bezenmiş bir evdi. Çevresi de onu görüntülemeye çalışan insanlarla sarılmıştı.

Benim "sutyen" sözcüğünü söylemekten kaçınmam ve yüzümün kızarması Mr. Wilson'ın çok hoşuna gitmişti.

"Gidip, Türkiye'den geldiğini ve fotoğraf çekmek istediğini söyleyebilirsin," dedi gülerek.

Hayır, böyle bir iş için, ülkemin adını kullanmaya hiç niyetim yoktu! Arabadan indim. Çekingen adımlarla, ellerindeki kameraları ve fotoğraf makineleriyle oradan oraya koşan insanların yanına yaklaştım.

İçlerinden biri, "Hey, sen Lakefield'deki geçit töreninde değil miydin?" diye haykırmaz mı!

Tüm bakışlar üzerime çevriliverdi. Son derece cana yakın, en az yirmi kişiyle tanıştıktan sonra, ben de fotoğraf çekmeye başladım. Bir yandan da sergilediğimiz tablonun garipliğine ve komikliğine gülüyordum.

Dönüş yolu, bu esprili evi konuşmakla ve tabi ki bol bol gülmekle geçti.

Gecemizi Jay'in voleybol maçını videoda seyrederek noktaladık.

9 Temmuz

Babamın Terbiyeli Şişkebabı...

Bugün büyük bir başarıya imza attım: Wilsonlara Türk usulü şişkebabı yedirdim!

Sabah kalktığımda evde kimseler yoktu. Biraz sonra Mr. Wilson, elinde torbalarla alışverişten döndü. Doğruca mutfağa geçti ve aldığı eti doğramaya başladı.

Meğer, şişkebabı yapmak istiyormuş... Hemen işe el koydum! En iyi şişkebabı Türkiye'de yapılırdı, gerisi boş laftı.

Bu konuda tanıdığım en büyük ustanın babam olduğunu, onun hazırladığı kebapları yiyenlerin, tadını asla unutamadıklarını, eczacılığının yanı sıra, yakın çevremizde "kebap uzmanı" olarak anıldığını ballandıra ballandıra anlattım.

Bu işi yapmayı aklıma koyduğumdan, önlemimi önceden almıştım. Babamla yaptığımız son telefon konuşmasında, onun meşhur "et terbiye formülü"nü not defterime yazmıştım.

Hemen işe koyuldum... Neyse ki, mutfaktaki dolaplardan birinde, gereken tüm baharat vardı. Soğanı, salçayı, bin bir çeşit baharatı (Tam formülü vermeyeyim, babam kızabilir!) karıştırıp nefis bir sos hazırladım. Mr. Wilson'ın doğradığı etleri bu sosla bir güzel yoğurdum.

Ne yazık ki burada kebap şişi yoktu. Biz de etleri çöp şişlere dizdik. Dinlenmeye bıraktık...

İşimiz bitince, eczaneye gidip Mr. Thronset'e babamın yaptığı sivilce ilacının reçetesini verdim. "Salisilik asit" ve "resorsin"in ne olduğunu anlamayacak diye korkuyordum. Onun, okuduğu her maddeyi tanıması, beni biraz şaşırttı.

Tabi ya, kimyasal maddeler ve formüller, dünyanın her yerinde aynı değil miydi? Merak etmemeliydim, ilacım akşama hazır olacaktı.

Öğleden sonra Round Lake adlı kasabaya gittik. Böylece çocukların, bu kasabada yapılan maçlara neden bayıla bayıla gittiklerini de öğrenmiş oldum.

Round Lake; çikolata, sakız, şekerleme, kuru yemiş ve bisküvi fabrikalarının bulunduğu, tam bir yiyecek cennetiydi! Fabrikalardan çıkan ürünler, kasabadaki satış mağazalarında çok ucuz fiyatlarla satılıyordu.

Önce bu mağazalardan birini gezdik. Sonra da Sathers firmasının işlettiği fabrikaya gittik.

Binanın girişinde, yüzümüze vuran sakız ve şeker kokusu, bizi içeri çekiverdi. Burada, firmanın bilgisayar uzmanı Tom'la tanıştık. Fabrikayı onun rehberliğinde gezecektik.

Kırmızı ve turuncu boyalı koridorların iki yanında, ileride sahip olmayı istediğim şirin ofislerden birkaç düzine vardı. Fabrikanın bütün bölümlerinde işlemler bilgisayarlarla yapılıyordu.

En hoşuma giden yer, aşağıdaki paketleme bölümü oldu. Saçları kapalı, özel giysili işçilerin arasında, buzdolabı soğukluğundaki geniş çalışma odalarında, tam bir saat dolaştık. Fıstıkların yağlanıp tuzlanmasını, kovalar dolusu ayıklanmış çekirdeğin kısa sürede paketlenivermesini ilgiyle izledik.

Mr. Wilson, geçit törenlerinde arabalardan fırlatılan sakız, çikolata ve şekerlemelerin buradan geldiğini söyledi. Maçı biten çocuklar da, dönmek üzere otobüslerine binmeden önce, mutlaka buraya uğrarlarmış.

Fabrikadan çıkarken, elimiz kolumuz paket doluydu. İçlerinde neler yoktu ki!... Ayıklanmış çekirdek, badem, üstü çikolata kaplı fındık, fıstık; nefis görünümlü kurabiyeler, bisküviler...

Dönüşte eczaneye uğradık. İlacım hazırdı. Mr. Thronset'e teşekkür edip parasını vermek istedim. Almadı. Başını iki yana sallayıp, "Benim için zevkti," demesi çok hoştu...

✣ ✣ ✣

Artık mangal partimize başlayabilirdik.

Terbiyelediğim şişler, gerçekten çok nefis olmuştu! Bayıldılar... Her lokmada babamın kulaklarını çınlattık.

Bu güzel ziyafetten sonra, elimizde Sathers'ten aldığımız ayıklanmış çekirdeklerle televizyonun başına geçtik. Tam o sırada arka kapı çalındı.

Kapıyı açtığımda karşımda, komşumuz Margaret duruyordu. Elinde yaldızlı kâğıda sarılmış rengârenk bir paket vardı. Ertesi sabah, başka bir eyalette oturan annesini ziyarete gideceği için, doğum günümü birkaç gün önceden kutlamak istemişti. (Kendisi altmış yaşındaydı, annesi ise doksan iki.)

Önce yüksek sesle paketin üzerindeki kartı okudum: "Mutfağımdan sevgilerle..." diyordu Margaret ve bana mutlu yıllar diliyordu. Ardından, on sekizinci yaşımın ilk armağan paketini açtım. İçinden pırıl pırıl baskılı, harika bir yemek tarifi kitabı çıktı. Tam da Margaret'in vereceği türden bir armağandı doğrusu...

Çok mutlu olmuştum. Akşamüstü telefon açıp Dean'a adımın yazılışını bir kez daha soran bu dünya tatlısı insan için, ben de bir şeyler yapmalıydım.

Hemen mutfağa koştum, Türk kahvesi pişirdim. Lokum ikram ettim. Jay'in alaylarına aldırmadan, kahve falına baktım. Türkiye'den getirdiğim fotoğrafları, broşürleri önüne serdim. (Bu arada Carol için yaptığım kahveyi taşırdım!)

Yüzüme sıcacık bir sevgiyle bakan Margaret'i asla unutamayacağımı hissediyordum.

Ayrılırken ben de ona, mutfağının bir köşesine asması için, kocaman bir nazar boncuğu armağan ettim.

10 Temmuz

Doğum Günü Hazırlıkları...

Yarın, yani 11 Temmuz, nüfus cüzdanıma göre benim doğum günüm! Aslında ben 12 Temmuz'da doğmuşum, ama 11 Temmuz'a kayıtlıyım. Amerika'da her şey resmi belgelere göre belirlendiğinden, doğum günümü de yarın kutlayacağız.

Evde öyle bir telaş var ki, anlatılacak gibi değil...

Ben de kendi payıma düşeni yaptım. Elektrik süpürgesiyle salonun halısını boydan boya süpürdüm. Toz aldım, evin her yanına yayılmış olan dergileri topladım, şöminenin yanındaki "Türkiye" köşesine çekidüzen verdim, panodaki fotoğrafları elden geçirdim. Evimiz, yarınki tören için hazırdı artık...

Carol'la bahçede oturup biraz dinlendik. Gelecek konukların listesini çıkardık. Yapacağımız işleri sıraya koyduk.

Eve girdiğimizde, nefis bir pasta kokusu çarptı burnuma... Mr. Wilson, doğum günüm için pasta pişiriyordu. Hem de iki tane!

Bir tanesi, tam bir barbi bebekti. Eteği pasta olarak pişirilmiş, üstüne de gerçek bir barbi bebeğin gövdesi yerleştirilmişti. Diğeri henüz pişmemişti. Kocaman, bebek şeklinde bir pasta kalıbı, fırına girmek için sırasını bekliyordu.

Bakalım bitince nasıl olacaklar?

Mr. Wilson'ın Jay ile Dean için yaptığı, tişört ve yarış arabası şeklindeki pastaların fotoğraflarını görmüştüm. İkisi de harikaydı.

Wilsonların, doğum gününü burada kutlayan ilk öğrenci konukları benmişim. Mr. Wilson da ilk kez bir kız çocuğu için pasta pişiriyormuş...

Yarın keseceğim pastalar, görünüm olarak ne denli güzel olurlarsa olsunlar; annemin daha basit şartlarda hazırladığı, emeğini sevgisiyle yoğurarak ortaya çıkardığı o canım pastaları, bunların hiçbirine değişmem ben.

Ah, ne kadar özledim onları! Hele Sinan, nasıl da burnumda tütüyor...

Bir pasta için yedi saat uğraşılır mı?

Mr. Wilson uğraştı! Heykeltıraş titizliğiyle şekil verdi, ressam ustalığıyla renklendirdi, ahçı becerisiyle lezzet kattı. Ve ortaya iki tane, sanat eseri pasta çıkardı.

Yarın, doğum günü benimle aynı gün olan Gina'lara (pederin kızı) davetliymişiz. Barbi bebek pastamı sabah, evdeki konuklarımızla keseceğiz. Daha büyük olan diğer pastayı da oraya götüreceğiz.

Akşamüstü, hoş bir sürpriz daha yaşadım: Soya fasulyesi tarlalarının sahibinin karısı, yanında oğluyla ziyaretimize geldi. Dean'la bana birer çek uzattı. Hayatımda, çalışarak kazandığım ilk paraydı bu!

Onlara bu işi yalnızca zevk için yaptığımı, para almak istemediğimi söyledim. "Emeğinin karşılığını almalısın!" diye ısrar edilince, o çekin çerçevelenmiş bir şekilde duracağını ve asla bozdurulmayacağını söyleyerek teşekkür ettim. Bu da farklı bir doğum günü armağanı olmuştu benim için...

Şu anda yatmaya hazırlanıyorum.

Yarın önemli bir gün! On sekiz yaşıma basıyorum. Amerika'dayım... Ailemden uzakta kutlayacağım ilk doğum günüm...

Heyecanlıyım!

11 Temmuz

Mutlu Yıllar Bana

Şu anda saat sabahın 02.00'si.

Çocuklarıma ve torunlarıma, on sekiz yaşına nasıl bastığım hakkında anlatacağım o kadar çok şey var ki...

Sabah 09.00'da, Mr. Wilson'ın, "Mutlu yıllar sana!" şarkısıyla uyandım. Ardından Carol ve Dean'ın tebriklerini kabul ettim.

Masanın üzerindeki paketleri görmemeye çalışarak tekrar odama çıktım. Akşamdan hazırladığım elbisemi giyindim.

Salona girdiğimde, hepsi heyecanla benim paketleri açmamı bekliyorlardı. Önce Mr. ve Mrs. Wilson'ın kartını okudum. Sevgi dolu, sıcacık satırlardı. Rengârenk yaldızlı kâğıtlara sarılı iki paketten pasta kalıpları, pasta süsleri, ölçü kapları çıktı. Carol bunları, Margaret'in armağan ettiği yemek kitabını tamamlasın diye aldıklarını söyledi. Ne kadar ince bir düşünceydi.

Elime aldığım ikinci paket, Jay'le Dean'ın armağanıydı. İçinde, eczanede görüp hoşuma gittiğini söylediğim süs sincabı vardı.

Mutfakta özenle hazırlanmış, harika bir sofra bizi bekliyordu. O kadar şirin görünüyordu ki, hemen birkaç poz fotoğrafını çekiverdim.

İlk konuklarımız Mrs. Esser'le kızı Beckey'di. Ellerindeki yaldızlı balonun üzerinde "On sekizinci yaşın kutlu olsun!" yazıyordu. İçi pırıltılı minik kalplerle dolu bir torbadan, siyah bir tişört çıktı. Anlamı çok büyüktü, çünkü göğüs kısmına, liseden mezun olacağım yıl özel olarak işlenmişti.

Ardından, Carol'ın her sabah buluşup kahve içtiği "Booth 7" grubunun üyeleri geldiler. Armağanları, tahtadan yapılmış el oyması bir Noel Baba'ydı.

Paketlerin hepsi o kadar güzeldi ki, açmaya kıyamıyordum. Üstlerindeki kartlarsa, armağanlardan bile hoş ve anlamlıydı. Hepsini saklayacaktım şüphesiz...

Birazdan Mrs. Throndset geldi. Elindeki süslü pakette "Temmuz" ayının bebeği vardı. Mrs. Bush ve kızı ise kırmızı kumaş kaplı bir not defteriyle püsküllü, şipşirin bir kitap ayracı getirmişlerdi.

Kısa bir süre öncesine kadar hiç tanımadığım bunca insanın, bana bu denli yakın davranması için, ben onlara ne yapmıştım? Bu sorunun yanıtını bilmiyordum. Bildiğim tek şey, çok mutlu olduğumdu...

Konuklarımızın bir kısmı pişirdiğim Türk kahvesini, diğerleri de dünden hazırladığım buzlu elma çayını yudumluyorlardı.

Sıra pastalı kutlamaya gelmişti... Herkes bir ağızdan, "Mutlu yıllar sana!" şarkısını söylüyordu. Alkışlar arasında mumları üfledim ve barbi bebek pastamı kestim.

Onlar pastalarını yerken, ben de kahve içenlere fal bakıyordum. Çok ilgilerini çekti. Galiba doğru şeyler söylüyormuşum...

Dean'la Beckey de kahve istediler. Zevkle pişirdim. O anda, aynı yaşlarda olan canım kardeşim geldi aklıma... Bir keresinde benden kahve istemişti. Yapmıştım. Sonra da içine bisküvi batırıp yemişti. O yaşın kahve anlayışı da ancak o kadar oluyordu demek...

Masanın üzerinde fotoğraflar, Türkiye'nin dörtbir yanına ait broşürler; sorular, yanıtlar... Din, dil, ulus farkını aşarak kurulan sıcacık dostluklar... On sekizinci doğum günümün bu ilk saatlerini asla unutmayacağım!

Konuklar gittikten sonra, Jay ve Dean'la, gelen kartları bir kez daha okuduk. Sonra da Caro Lin's'e gittik.

Öğle yemeğini, gazeteci Robin'le beraber yiyecektim. Zaten o da gelmiş ve mağazada beni bekliyordu. Elinde, geçit töreninde çektiği fotoğraflarımızın olduğu gazeteler vardı. Benim için bundan daha güzel doğum günü armağanı düşünülebilir miydi?

Tanrım, inanamıyordum! Elimde bir Amerikan gazetesi vardı ve baş sayfanın sol köşesindeki kocaman fotoğraf bana aitti! Arabanın üzerinde çevreye gülücükler saçan bir ben... ve net bir şekilde okunabilen "Renan Tan-Türkiye" sözcükleri...

Alt yazı olarak, "Türkiye'den gelen Renan Tan, Lakefield'in bu yılki değişim öğrencisi. Dale ve Carol Wilson'ın konuğu..." yazıyordu.

Robin, benimle yaptığı röportajın da gelecek hafta yayımlanacağını söyledi.

Elimde gazeteler, bayram çocuğu sevinciyle Caro Lin's'ten çıktık. Lakefield'in en güzel restoranına yemeğe gittik.

Robin'in doğum günüm için verdiği kartı okurken, ilk kez gördüğüm yaşlıca bir adam, elinde bir şekerle, "Mutlu yıllar sana!" diye şarkı söyleyerek önümde eğilmez mi? Meğer Carol'ın, fal baktığım arkadaşlarından birinin kocasıymış...

Yemekten sonra, Robin'le birer cevizli turta ısmarladık. Önce Robin'in turtası geldi. Benimkinin neden geciktiğini merak ediyordum ki, üzerine minik bir mum dikilmiş pasta karşıma konuluverdi. Ne kadar şaşırdığımı ve sevindiğimi anlatamam...

Akşamüzeri Nelsonlara gittik. Gina'yla beraber ikinci pastamı kesecektim.

İlk kez bir pederin sofrasına konuk oluyordum!

Nelsonlar birkaç yıl önce Nijerya'dan gelmişlerdi ve İslam hakkında çok şey biliyorlardı. Uzun uzun sohbet ettik.

Sıra, üzerinde "Gina ve Renan" yazılı doğum günü pastasını kesmeye gelmişti. Masadakilerin coşkulu alkışları arasında, Gina'yla beraber mumlarımızı söndürdük. Sonra da ikimizin birden tuttuğumuz bıçakla pastamızı kestik.

Gina'ya, kenarı iğne oyası işlemeli bir yemeni armağan ettim. O da bana pembe güllü, kocaman bir paket uzattı. Üzerinde şipşirin bir kart, içinde de Minnesota kupası vardı.

Akşam Mr. ve Mrs. Wilson, Mr. ve Mrs. Esser, Mr. ve Mrs. Throndset, Dean ve ben tiyatroya gidecektik. Mr.Wilson aynı arabada sekiz kişi gideceğimizi söylediğinde, nasıl sığacağımızı merak etmiştim. Meğer araba dediği, koskoca bir minibüsmüş...

Okoboji Yaz Tiyatrosu'nda sergilenen oyun, bu kadar yol gelmemize değdi doğrusu... Üç perdelik, "Türk Hamamında Kadınlar Gecesi", hepimizi gülmekten kırdı geçirdi.

Evet, benim için her anıyla çok güzel bir doğum günüydü. Bir de ailemden ve ülkemden uzak olmanın burukluğunu yaşamasaydım!

Gene de "Mutlu yıllar Renan!"...

12 Temmuz

Amerikalılar Türkçeden Anlar mı?

İşte gerçek doğum günüm!

Annem, babam ve Sinan tabi ki bugün aradılar beni... Seslerini duyunca, onları ne kadar çok özlediğimi daha iyi anladım.

Babamın sesi titriyor muydu, yoksa bana mı öyle geldi, bilemiyorum. Ama annemin, belli etmemeye çalışsa da ağladığından eminim.

Saat 12.00'de, Carol'ın üyesi olduğu Lions Kulüb'ün yemeğine gittik. Carol bu kulübün ilk kadın üyesiydi.

Toplantının tek konuğu bendim ve çoğunu tanımadığım bu kalabalık topluluğun karşısında, yarım saat konuşacaktım. Heyecanlıydım...

Kulüp başkanı beni sağ tarafına oturtmuştu. (Şeref konuğuydum ya!) Önce, benimle ilgili kısa bir tanıtım konuşması yaptı. Sonra da mikrofonu elime tutuşturuverdi.

Tüm gözler üzerimdeydi. Herkes susmuş, pür dikkat beni dinlemeye hazırlanmıştı. Bir an, sözlü sınavda, bildiklerinin hepsini unutmuş bir öğrenci gibi hissettim kendimi. Dilim tutulmuştu sanki...

Neyse ki çabuk toparlandım. Artık İngilizceyi, eskisine göre çok daha hızlı konuşabiliyordum. Bundan aldığım güçle içimden geldiği gibi konuştum, konuştum... Yarım saatin nasıl geçtiğini anlamamıştım bile.

Alkışların ardından, düzinelerce soruyu yanıtladım ve çok ilginç bir istekle karşılaştım: Benden, "Türkçe" bir şeyler söylememi istiyorlardı!

Çok duygulanmıştım... Amerika'ya geldiğimden beri ilk kez, benden Türkçe konuşmam isteniyordu.

Onlara anlamadıkları bir dilde, anadilimde aileme ve ülkeme olan özlemimi anlattım. Gözlerim dolu dolu olmuştu. Ne söylediğimi kavrayamadılarsa da duygulu halimden etkilenmişlerdi galiba... Salondan kopan alkış bunu gösteriyordu.

Toplantıdan ayrılırken sevinçliydim. Çünkü, bu koskoca kulübün tüm üyeleri, beni ve ülkemi tanıyorlardı artık...

Akşam televizyonda bir belgesel izledik: İkiz Şehirler! Yani Minneapolis ve St.Paul. Haritada bile yan yana gösterilen bu iki şehirden St.Paul, Minnesota'nın başşehri.

Mr. Wilson, ağustos ayında dört gün süreyle Minneapolis'te kalacağımızı söyledi. Gökdelenlerle dolu bu tipik Amerikan şehirlerini merak ediyorum.

13 Temmuz

Programımız Çok Yüklü...

Mr. Wilson, gerçekten de çok iyi bir ahçı! Onu mutfakta izlemek bile insanın iştahını açıyor.

Sabah, Jay'in üniversite kitapçıklarına göz gezdirirken, mutfaktan gelen nefis kokular beni Mr. Wilson'ın yanına götürdü. Acı soslu, peynirli bir makarna pişirmişti. Bir de sarmısaklı ekmek yapacaktı. Bu iş için önce, upuzun ekmekleri ince ince dilimledi. Sonra yağ sürüp sarmısakladı ve jelatine sarıp fırına sürdü. O pişerken, bahçeye çıkıp tekneleri verniklemeye başladı.

Mr. Wilson'ın bu hızlı temposu başımı döndürmüştü. Bisikletime binip Caro Lin's'e gittim. (Bisiklete korkusuzca binebilmek, meğer ne güzel bir şeymiş...)

Mağazada günün konusu, kasabaya iki gün önce taşınan yeni komşularımızdı. South Dakota'dan gelen bu genç çiftin biri beş, diğeri sekiz yaşında iki şirin oğlu varmış... Bakalım onlarla ne zaman tanışacağız?

Akşamüzeri, hep beraber golf oynamaya gittik. Jay ve Dean devamlı top kaybediyorlardı.

"Benim gibi bir golf öğretmeninin böyle oğulları olduğuna inanamıyorum," diye sızlandı Mr. Wilson.

Bense, artık bu işte ustalaşmıştım! Toplarım, çimlerin üzerinde sürünmeyi bırakmış, uçmaya başlamışlardı.

Tam iki buçuk saatimiz golf sahasında geçmiş...

Eve dönünce, Mr. Wilson masanın üzerine kocaman bir takvim açtı. Önümüzdeki günlerin planlarını yapmaya başladı.

Haftaya çarşamba, hava güzel olursa, su kayağı yapmaya gidecekmişiz. Ayrıca ben, kasabanın sembolü olan elli sekiz pencereli ilginç evin sahibi diş doktorunun özel davetlisiymişim.

Cumartesi de "crazy day" dedikleri, çılgın bir ucuzluk günü yaşanacakmış. O gün, en az yarı yarıya ucuzlatılmış ürünler, dükkânların önünde ve sokaklarda satılacakmış.

Bu arada, Minneapolis'te kalacağımız otelin bir gecesinin altmış iki dolar olduğunu öğrendim. Yüzme havuzlu, jimnastik salonlu, harika bir yermiş.

Mr. Wilson'ın programı, benim kamp günlerime kadar uzanıyordu. Şimdiden heyecanlanmaya başladım... Şunun şurasında 22 Temmuz'a ne kaldı ki?

Tatilim bitiyor mu ne?...

14 Temmuz

Golf Dersleri

Bu evde pişen şeylerin tüketilme hızı, beni şaşkına çeviriyor...

Doğum günü pastamı, bir tek kestiğimi hatırlıyorum! İki saat sonra kapağı kaldırdığımda, tabakta duran, yalnızca barbi bebeğimin kafası ve elbisesini süsleyen çiçeklerdi.

Bu sabah kek tepsisi tepeleme doluydu. Öğleden sonra tepsiyi boş bulmak önemli değil de, bunları kimin ve ne zaman yediğini görememek şaşırtıcıydı.

Kahvaltıdan sonra Mr. Wilson çikolata kremalı, yeni bir pasta yaptı. Üzerine parmağımla adımı yazmama izin verdi. Jay'le Dean'ın söylediklerine göre, bu bana tanınan bir ayrıcalıkmış.

Bu nefis pastadan birer dilim yedikten sonra, Mr. Wilson'la beraber yürüyüşe çıktık.

Tam Golf Kulübü'nün önünden geçiyorduk ki, "Renan," dedi Mr. Wilson. "Kulüpte golf dersi almak ister misin?"

İnanamıyordum! Beynimden geçenleri mi okuyordu acaba? Hiç istemez olur muydum!

Biraz sonra kaydımı yaptırmış, yemyeşil çimler üzerinde ısınma hareketleri yapıyordum. Özel bir alanda aldığım ilk dersi, evde seyrettiğim video kaset izledi... Ciddi ciddi golf çalışmaya başladım. Çok mutluyum!

Mr. Wilson, Amerika'dan ayrılırken, golf sahasının tüm deliklerini dolaşabilecek düzeye gelmemi istiyor.

Akşam yemeğinde tek konu tabi ki gene bendim. Bir de golf derslerim...

Wilsonlar yemek yerken televizyonu kapatıyorlar. Özellikle akşam yemeği, tüm aile bireylerini bir araya getirdiğinden, ayrı bir önem taşıyor.

Bu arada, benim rahatsız olabileceğimi düşündükleri için yemek dualarını değiştirmişler. Eskiden İsa'yı öven bir dua ederlermiş. Ben geldiğimde bu yana, Allah'ın büyüklüğünü anlatan ve onun verdiklerine şükreden bir dua ediyorlar. Ne büyük bir incelik, değil mi?

Şu anda, elimde kocaman bir bardak portakal suyu, koltuğuma gömülmüş bu satırları yazıyorum. Wilsonlar ise şaşkın bakışlarla beni izliyorlar. Neden mi?

Yazacak bu kadar çok şeyi nereden buluyormuşum?...

15 Temmuz

Sürpriz Pazar Kahvaltısı...

Bugünüm çok güzel ve hareketli geçti.

Sabah 08.30'da uyandım. Sessizce mutfağa indim ve beş kişilik bir pazar kahvaltısı hazırlamaya koyuldum.

Kullanacağım malzemeler; iki haşlanmış yumurta, salam, peynir, reçel, kek ve bir gün önce aldığımız yumuşacık, hoş kokulu tost ekmeğiydi.

Önce beş dilim tost ekmeğini kızarttım. Buranın tereyağları tuzlu, ben sevmiyorum. Yalnız onların dilimlerine yağ sürüp, her birini dörde böldüm.

Kahvaltı tabaklarının ortasına birer parça kek yerleştirdim. Keklerin köşelerine gelecek şekilde, kestiğim dörder parça minik tost ekmeğini tabaklara sıraladım. Üzerlerine; birine salam, birine peynir, birine yumurta ve sonuncusuna da reçel koydum. Reçelin üstünü kirazla süsledim.

Harika görünüyorlardı!

Hiç beklemedikleri bu kahvaltı sofrası, Wilsonlar için tam bir sürpriz olmuştu. Övgü dolu sözlerle teşekkür ettiler bana...

Etrafı topladıktan sonra kiliseye gittik.

Gina boynuna, benim armağan ettiğim yemeniyi takmıştı. Çok sevindim.

"Türk motifleri sana çok yakışmış," dedim.

"Türk" sözcüğünü duyan yaşlıca bir adam yanımıza geldi. Kolumdan tutarak, "Gazetede bir röportaj okumuştum," dedi. "Tüm dünyayı baştan başa dolaşan bir adam, en güzel yemeği Türkiye'de yediğini, en yakın ilgiyi Türkiye'de gördüğünü anlatıyordu."

Kalabalık bir topluluğun içinde söylenen bu sözler, beni ne kadar gururlandırdı, anlatamam... Fırsatı yakalamışken, ben de bir şeyler söylemeliydim.

"Okuduklarınız doğru," dedim. "Türkler, gerçekten de dünyanın en konuksever insanlarıdır. Onların elinden yiyeceğiniz yemeklerin tadını da asla unutamazsınız..."

Çevremi saran ve beni ilgiyle dinleyen kalabalığa dönerek ekledim:

"Eğer ülkemize gelirseniz, söylediklerimin gerçeklik derecesini kendi gözlerinizle görebilirsiniz..."

Mrs. Esser, "Bu bir davet galiba!" diye el çırptı.

"Tabi," dedim gülerek. "Sizleri ülkemde konuk etmek, benim için zevklerin en büyüğü olacaktır."

Arkamdan gelen, tek kişilik alkışla geriye döndüm. Mr. Wilson'dı!

"Harika bir konferanstı!" dedi. "Galiba Türkiye, seni bize Türk elçisi olarak göndermiş..."

Bir an, bulutların üzerinde uçuyorum sandım.

Türk elçisi!

Şimdiye kadar duyduğum en güzel sözlerdi bunlar. En güzel ve en gurur verici...

Mr. Wilson, beni ne kadar mutlu ettiğinin farkında mıydı acaba?

Alışveriş Merkezinden Buffalo Çiftliğine...

Eve dönünce, on iki saat sürecek eğlenceli yolculuğumuz için son hazırlıklarımızı yaptık.

Sioux Falls'a gidecektik. Mr. Wilson'ın beni götürmeye söz verdiği alışveriş merkezine. Burada büyük alışveriş merkezlerine "mall" deniyor. (Mol okunuyor.)

İlk girdiğimiz düşler âlemi mall'u şöyle tarif edeyim: Koskocaman bir gökdeleni, katlarına ayırın ve bu katları düz bir alana yayın. İçlerini de, bin bir çeşit ürünün satıldığı mağazalarla donatın...

Binanın kapısından içeriye girdik. İlk dikkatimi çeken, duvarlara asılı kat planları oldu. (İnsanların kaybolmaması, ancak bunlarla sağlanabiliyormuş.)

Mağazaların ışıltısı, çalışanların insanı sıkmayan nazik ilgileri, gerçekten çok hoştu. Ama her şey çok pahalıydı! Alışveriş edip etmemekte kararsız kaldım. Aldıktan sonra daha güzeliyle karşılaşırsam üzülecektim.

Sonunda alışverişimi Minneapolis'e saklamaya karar verdim ve sergilenen cıvıltılı güzelliği seyretmekle yetindim. Wilsonlar da bu konuda beni desteklediler.

Onların yanında, gördüklerim karşısında büyülenmiş gibi davranmayı hiç istemiyordum doğrusu... Umursamaz bir tavırla başımı yukarı kaldırdım.

"Buradaki şeylerin çoğu, zaten Türkiye'de de var!" dedim.

Biraz daha dolaştıktan sonra Sioux Falls'dan ayrıldık. Mr. Wilson, üzerinde yol aldığımız toprakların, gördüğüm dördüncü eyalet olduğunu söyledi. Evet, South Dakota'daydık...

Mr. Wilson Amerika'nın elli eyaletini bir çırpıda sayabileceğini söyledi. Ancak dört tane açık vermesi ve bunları bir türlü anımsayamaması, hepimizi güldürdü.

Arabamızı, efsanevi bir uçurumun kenarında durdurduk. Uçurumun üzerinde sonradan yapılmış bir köprü vardı. Söylentilere göre, uzun yıllar önce bir hırsız, insanların linç etmesinden kurtulmak için, uçurumun bir yanından diğerine atlamış...

Sarp kayalıklardan aşağıya doğru yavaş yavaş indik. Uçurumun dibinde koyu mavi bir nehir akıyordu. Peş peşe fotoğraflar çektik. Sonra da arabayla nehrin ilerisine gidip, küçük bir şelalenin güzellik kattığı harika manzarayı seyrettik.

Yeniden yola çıktığımızda bana, "Buffalo görmek ister misin?" diye sordular.

İstemez olur muydum hiç!

Çok geçmeden, büyük bir sığır çiftliği olan Blue Main Park'a girmiştik. Biraz ilerledikten sonra, arabayı bir kulenin önüne park ettik. Bize verilen dürbünlerle buffaloları (Amerika mandası) görmeye çalıştık.

Hayır, böyle olmuyordu! Yalnızca kovboy filmlerinde gördüğüm bu iri cüsseli hayvanları, yakından incelemek istiyordum.

Dean'la beraber uzunca bir mesafeyi koşar adımlarla kat ettik. Gördüğümüz manzara harikaydı. Kocaman, ama çok kocamanlardı! Bu yaratıklar için söyleyecek başka bir sözcük bulamıyorum.

Carol ve Dale yanımıza geldiklerinde, biz fotoğraf çekme işlemini çoktan bitirmiştik.

Üç kilometre gidiş, üç kilometre dönüş; bu yol ayaklarımı perişan etse de, gördüklerim tüm zahmetlerimize değmişti doğrusu...

16 Temmuz

İş Teklifi...

Bu, Lakefield'deki son haftam!

Sabah, Mr. Wilson'ın yaptığı gibi, takvimi masanın üzerine serdim ve önümüzdeki günlerin bir programını yaptım.

Yarın sabah Booth 7'a gidip Carol'ın sabah toplantısına katılacağım. Onlara kahve ısmarlamak istiyorum.

Çarşamba günü öğleden sonra, diş doktorlarının davetlisi olarak, hem piknik, hem de su kayağı yapmaya gideceğiz.

Ve kamp!... Pazar günü, beni kampa Jay götürecek.

O haftanın sonunda, Wilsonlar gelip beni alacaklar. Oradan Minneapolis'e, Mr. Wilson'ın ağabeyinin düğününe gideceğiz.

Ayın otuzunda Lakefield'e döneceğiz. Çamaşırlarımı yıkayıp eşyalarımı toplayacağım.

Ardından, Kuzey Minnesota'ya tatile çıkacağız. Orada, Wilsonların bir akrabalarının göl kenarındaki evinde kalacakmışız...

Döndüğümüzde, Lakefieldli dostlarımla vedalaşmak için bir ya da iki günüm kalmış olacak. Bugün uzun bir liste çıkardım. Onlar için kartlar hazırlayıp, "Allahaısmarladık," demek istiyorum.

Artık Lakefield'e dönmemek üzere Minneapolis'e giderken, bir nehirde "rafting" yapmak da programımızın bir bölümü...

Takvime bakıp kendimce notlar alırken, Mr. Wilson yanıma geldi. Ve bana, hayatımın ilk iş teklifini yaptı.

"Çocuk bakıcılığı yapmak ister misin Renan?"

"Neden olmasın?" diye sevinçle yanıtladım.

Yeni taşınan komşularımızın beş ve sekiz yaşındaki oğullarına, çarşamba ve perşembe günleri 8-12 arası ben bakacaktım.

Geçici ve kısa süre için de olsa, benim de bir işim vardı artık...

17 Temmuz

Harika Bir Gazete Röportajı...

Sabah, kahvaltıdan sonra, doğruca Booth 7'a gittim. Bu, Carol'ın sabah grubuyla geçireceğim son gündü.

On kişilik grup, tam kadro oradaydı. Oysa, kolay kolay bir araya gelemediklerini biliyordum...

Bu ortamda kahve içmeyi, Carol ve arkadaşlarıyla sohbet etmeyi seviyordum. Galiba onlar da beni sevmişlerdi... Yavaş yavaş üzerimize çöken ayrılık hüznünü, hepsinin bakışlarından okuyabiliyordum.

Artık kalkacaktık. Herkes, içtiği kahvenin parasını masanın üzerine koydu. (Usulleri öyle!) Garson kız, bugünkü kahveleri benim ısmarladığımı söyleyince, nasıl teşekkür edeceklerini bilemediler.

Toplantıdan sonra Dean'ın beysbol maçına gittik. Artık bu oyunun kurallarını iyice öğrendim. Ancak tuttuğum notlar, Mr. Wilson'ı çok güldürüyor. Sayıları Türkçe, atışları İngilizce, sonucu Almanca yazıyorum da...

Bu maçları seviyorum. Tanıdığım insanlarla karşılaşmak, onlarla maç heyecanını paylaşmak hoşuma gidiyor. Ailelerin çocukları için uzun yollar kat ederek buraya gelmeleri, büyük bir özveri. Bir şeyler yiyip içerek, tezahürat yaparak, bu özveriyi eğlenceye çevirebilmeleri ise şaşırtıcı ve güzel...

Eve dönerken, seyredilmiş video kasetleri, kasetçiye bıraktık. Kasiyer kız ve mağazadaki birkaç kişi bana, gazete röportajımla ilgili sorular sormaz mı!

Meğer, bugünkü gazetede röportajım çıkmış! Ve benim bundan haberim bile yok...

Bisiklete atladığım gibi Caro Lin's' e gittim. Kapıdan girer girmez, Carol, gazeteyi elime tutuşturuverdi.

İlk gözüme çarpan, Carol ile Dale'in arasında çektirdiğim şirin fotoğraf oldu. Yazının başlığı, "Dale ve Carol Wilson, Türk değişim öğrencisini konuk ediyorlar!" şeklindeydi.

Gazetenin yarım sayfası bana ayrılmıştı. Hemen bir köşeye çekilip yutarcasına okumaya başladım.

Aferin Robin'e! Hiçbir şeyi atlamamış. Ben, ailem, Türkiye, İzmir, okulum (okul formamdan okuduğum derslere, ders saatlerime kadar), evim, zevklerim, meraklarım... Ne anlattıysam, hepsi karşımdaydı.

Son paragrafta, 8 Ağustos'ta Lakefield'den ayrılacağım ve geride beni özleyecek dostlar bırakacağım yazıyordu.

Çok mutlu olmuştum!

Eve geldiğimde, Mr. Wilson akşam için pizza hazırlıyordu. Bodrum katındaki dev buzlukta yığınla hazır pizza vardı. Ama içlerinde domuz eti bulunabilir diye, tüm malzemeyi kendisi hazırlıyordu. Bunca zahmet benim içindi yani...

Garip duygularla, bir süre izledim onu... Sonra arkamda sakladığım gazeteyi çıkarıp masanın üzerine koydum.

Gözleri sevinçle parladı. Oturdu; ağır ağır, dikkatle okudu.

Gazeteyi bana uzatırken, "Biliyor musun Renan," dedi. "Sen gelmeden önce Lakefield'de hiç kimse, Türkiye ve Türkler hakkında bir şey bilmiyordu. Senden çok şey öğrendik..."

Biraz durakladı.

"Ve seni çok sevdik! Çok da özleyeceğiz..."

Beni ağlatacak kadar etkileyen bu sözlere, ne yazık ki hiçbir yanıt veremedim. Konuşursam, sesimin titreyeceğinden korkuyordum.

Gazeteyi aldığım gibi mutfaktan çıkıp odama koştum. Ben da onları çok özleyecektim...

18 Temmuz

İlk Çocuk Bakıcılığı Deneyimim...

Sabah, saatin zili çalmadan, yediye çeyrek kala uyandım. Heyecanlıydım, çünkü bu benim ilk iş günümdü!

Aceleyle kahvaltımı yaptım. Ev halkı henüz uykudaydı. Bir tek Mr. Wilson kalkmıştı. Beni işime o uğurladı.

Gittiğim evde, sabahın köründe kalkıp giyinmiş iki Amerikalı yumurcak beni bekliyordu. Çok şirinlerdi...

Anneleri bana, çocuklar hakkında gereken bilgileri verdikten sonra çekip gitti. Sonunda baş başa kalmıştık. Büyük bir sorumluluk yüklendiğimi hissediyordum.

Şansıma, uslu çocuklardı. Sessiz sedasız, tam iki saat boyunca televizyon seyrettiler. Onların sayesinde ben de Taş Devri, Arı Maya, Tatlı Cadı gibi, çocukluk günlerimin televizyon yıldızlarıyla özlem giderdim.

Bahçede çim biçme işini bitiren Dean'la arkadaşı Adrian gelinceye kadar her şey yolundaydı. Onların içeriye girmesiyle, saatlerdir uslu uslu oturan ufaklıklar gitti de, yerlerine bambaşka birileri geldi sanki... Evet, bunların da diğer normal afacanlardan hiçbir farkları yoktu.

Tam beş buçuk saat süren ilk çocuk bakıcılığı deneyimim, annelerinin gelmesiyle son buldu. Yarın gene aynı saatte, işimin başında olacaktım...

Gölde Piknik ve Su Kayağı

Eve döndüğümde, piknik hazırlıkları çoktan başlamıştı. Sabah beni epey korkutan bulutlar çekilmiş, yerini pırıl pırıl bir havaya bırakmıştı. Hayatımın ilk su kayağı fırsatını, kötü hava yüzünden kaçırmak istemiyordum doğrusu...

Kutu kutu içecekler, karpuzlar, çerezler... Hepsini arabaya yükleyip, karıkoca diş doktoru olan Breadsleylere doğru yola koyulduk.

Onlar da bizi bekliyorlardı. İki araba arka arkaya, kısa bir yolculuktan sonra, piknik yapacağımız yere ulaştık. Burası göl kenarında, yeşille maviyi kucaklaştıran, doğa harikası bir parktı.

Breadsleylerin arabalarıyla çektikleri bot, özel bir iskeleden suya indirilecekti. Hep beraber, arabanın arkasına bağlı çekeceği, gölün içine sürdük. Artık bota yerleşebilirdik...

Tatlı bir rüzgâr eşliğinde yola koyulduk. Ön koltuğunda oturduğum botun, sıradan bir tekne olduğunu düşünmekle, meğer ne büyük bir hata etmişim... Bindiğimiz, canavar gibi bir sürat teknesiymiş! Hem de en hızlılarından...

İlerleyen saatlerde, zor anlar yaşamadım desem yalan olur. Gölden epey yüksek olan tekneye tırmanmak; ıslanınca ağırlaşan can yeleğiyle, suyun içinde ağır kayak aletlerini ayağıma geçirmek, hiç de kolay değildi doğrusu...

Bu arada Carol'ın, su kayağı yapacağım derken su yutmasına ve "Boğuluyorum!" diye bağırmasına tanık olunca, içime biraz su serpildi. Demek ki bu iş gerçekten zordu! İlk kez denediğim için de becerememem normaldi.

Ancak, kırk yaşını çoktan geçmiş Mrs. Breadsley'in yürür gibi kayak yapışına imrenmekten de kendimi alamadım...

Su kayağının ardından, "torpido" dedikleri küçük, plastik bir bota bindim. Sürat motorunun çektiği bu şirin araç, sanki benim için yaratılmıştı. Ata biner gibi, ayaklarım iki yanda, torpidonun üzerine oturmuş, suyun iki karış üstünden yükseklere uçuyordum. Üstelik, kayaktaki gibi denge sağlama sorunum da yoktu.

Yorgunluktan pestil gibi, zevkle hazırlanmış piknik sofrasına oturduk. Hepimiz çok acıkmıştık. Mrs. Breadsley'in evden getirdiği salamlı, peynirli sandviçler; çiğ karnabahar, brokoli, havuç, domates, biber içeren lezzetli salata ve bizim götürdüğümüz meyveler, çerezler neşe içinde yendi.

Bu arada havadaki bulutlar iyice alçalmış, gökyüzü kararmaya başlamıştı. Gölün kıyısındaki botu çekip arabaya bağladık.

Eşyalarımızı toplarken fırtına çıktı. Yağmur, ha yağdı ha yağacaktı. İyi ki gölün ortasında değildik!

Dönüş yolunda, bana bu zevkli saatleri yaşatan Breadsleylere nasıl teşekkür edeceğimi bilemedim...

19 Temmuz

Mrs. King'le Öğle Yemeği

Sabah 07.00'de, acı acı çalan saatin ziliyle uyandım. Tüm bedenim sızım sızım sızlıyordu. (Dün yaşadığım güzelliklerin bugüne armağanı!)

Çabucak hazırlandım. İşime gitmek üzere evden çıktım. Çevrede, akşamki fırtınadan kalma hoş bir serinlik vardı.

Çocuklar henüz kalkmamışlardı. Onların uyanmasını beklerken, ben de koltukta dalıvermişim. Kapının açılmasıyla uyandım. Babaları, çocuklarla aramızın nasıl olduğunu sorup işine gitti.

Bizimkiler saat 09.00'da uyandılar. Artık bana alışmışlardı. Bunu, tüm yaramazlıklarını benim yanımda da sergilemelerinden anlayabiliyordum.

Onlara, arka topuklarıyla topu havaya dikmelerini öğrettim. Bayıldılar! Bu işi geliştirmek için bahçeye çıktığımızda, Dean'la Adrian yanımıza geldiler. Saat 11.00'de nöbeti onlara devredecektim. Çünkü, öğle yemeği için Mrs. King'e sözüm vardı.

Mrs. King'le doğum günümde tanışmıştım. Orta yaşın epey üzerinde, Lakefieldlilerin olağanüstü saygı gösterdikleri, gerçek bir hanımefendiydi. Otuz beş yaşında (Amy) ve yirmi bir yaşında iki torunu vardı. Kocası öğretim üyesi ve Jay'in çok sevdiği beysbol koçuydu.

Çocukları bahçede, top kapmaca oynarken bırakıp eve döndüm. Özenle hazırlandım. Bu, benim için önemli bir davetti.

Biraz sonra evin önünde son model bir araba durdu. Mrs. King, torunu Amy ve onun on bir yaşındaki kızı, beni almaya gelmişlerdi.

Hep beraber Iowa'ya, Sprit Lake'e gittik. Yediğimiz yemek bir yana, onlarla beraber olmak çok güzeldi...

Mrs. King, anneannemden bile yaşlıydı. Ama aramızda öyle sıcak bir bağ kurulmuştu ki...

Bana, "Yemeğe davet ettiğim ilk konuk öğrenci sensin Renan," dedi. "Çünkü sen, davranışlarınla yalnız Wilsonların değil, hepimizin konuğu olmayı hak ettin."

Ben ne yapmıştım ki? Belki benden önceki öğrencilerden biraz daha şanslıydım, hepsi o kadar...

Amy, aklımdan geçenleri okumuştu sanki.

"Sen farklısın Renan!" dedi. "Diğerleri yalnızca tatil yapmaya gelmişlerdi. Tatilleri bitince de hiçbir iz bırakmadan ülkelerine döndüler. Ama sen, bizlerle kaynaştın, dost oldun. Hepimiz, içimizden biri gibi benimsedik seni..."

Başım önümde, biraz da sıkılarak dinliyordum onları... Gösterdikleri sıcak dostluk benim için yeterliydi. Bu kadar övgüye ne gerek vardı?

Mrs. King'in, "Keşke yirmi yaş genç olsaydım!" demesiyle başımı kaldırdım. Şaşkın şaşkın yüzüne baktım.

"Evet," dedi Mrs. King. "Yirmi yaş genç olsaydım ve senin bizlere tanıttığın o güzel ülkeye, Türkiye'ye senin ziyaretine gelebilseydim..."

Bu, duyabileceğim sözlerin en güzeliydi.

Ayrılırken Mrs. King'le Amy'e tekrar tekrar teşekkür ettim. Yemek için mi? Hayır! O, işin yalnızca vitriniydi.

İçimden kopan gerçek teşekkür, milliyet ve yaş farkını yıkarak kurduğumuz o sıcacık dostluk içindi...

20 Temmuz

Carol ve Dale'e Nice Mutlu Yıllar...

Bugün Carol ve Dale Wilson'ın evlilik yıldönümleri...

Sabah kalktığımda ilk gözüme çarpan, Carol ve Dale'in birbirleri için hazırladıkları armağan paketleri oldu. Bakalım ben onlara ne alacaktım?

Saat 10.00'da Caro Lin's'e gittim. Bugün mağaza kapalıydı. Yarınki "Crazy Day" dedikleri, çılgın ucuzluk gününün hazırlıkları yapılıyordu.

Onlara yardım etmek için gitmiştim. Galiba biraz geç kalmışım... Saat 08.00'de işbaşı yapan Carol ve yardımcıları beni, "İyi öğleden sonralar," diyerek karşıladılar.

Beni görünce işe biraz ara verdiler. Myrna'nın evden getirdiği tarçınlı kurabiyeleri yedik, June'un hazırladığı kahveyi içtik. Benim için kahvaltı yerine geçen bu şirin sofradan kalkıp hep beraber işe koyulduk.

Gün boyunca tişörtleri ve elbiseleri askılara astık, giyinme kabinlerini silip temizledik. Kocaman bir seyyar merdivene tırmanıp duvar kâğıtlarının tozunu aldık. En önemlisi, satılacak her eşyanın ucuzlatılmış fiyatını belirleyip etiketlere yazdık.

Yarın sabah, dükkânlar 07.00-07.30'da açılacak. Herkes çılgın şeyler giyecek, çılgın makyajlar yapacak ve çılgınca bir alışveriş için sokaklara dökülecek... Bana garip gelse de, göreceklerime şimdiden uyum sağlamaya çalışıyorum.

Eve dönmeden önce eczaneye uğradım. Carol ve Dale için harika bir evlenme yıldönümü kartı seçtim. Yanı sıra, üzeri yılbaşı süsleriyle bezeli bir biblo... Bu, saçları omuzlarına dökülen şirin bir kız çocuğuydu. Bilmem onlara neler düşündürecekti... Belki çok isteyip de sahip olamadıkları bir kız çocuğunu, belki de... Belki de beni!

Zaten, öyle düşünsünler diye bu bibloyu seçmiştim. Öyle düşünsünler ve ben gittikten sonra da, her gördüklerinde beni hatırlasınlar diye...

Seçtiğim armağanları paketletip artık tek elle kullanabildiğim bisikletimle eve döndüm ki ne göreyim? Mr. Wilson'ın özene bezene hazırladığı nefis bir sofra bizleri bekliyor!

Carol'la Dale'in birbirlerini kutlamaları, Jay ve Dean'la beraber fotoğraf makineme poz vermeleri, gerçekten çok hoştu.

Benim armağanlarıma da bayıldılar. Oybirliğiyle biblomun adını "Renan" koydular.

Neşeyle yediğimiz kutlama yemeğinden sonra Jay, eğer para verirlerse beni sinemaya götürmek istediğini söyledi. (Kız arkadaşlarıyla giderken, ailesinden para istemiyor!)

Televizyonda reklamını gördüğüm, örümcek fobisini konu alan bir film için Sprit Lake'e gittik.

Yol boyunca Jay'le sohbet ettik.

Bir ara, onların Türkiye'ye gelme konusu açıldı. Jay, kendi parasını kendi kazandığından, yazları da çalışıyordu. Böyle uzun bir yolculuk için gereken parayı asla karşılayamazdı. Bu yüzden, Türkiye'ye gelmesi çok zordu. Dean'ın durumu da ondan farklı değildi.

Yazık! Tüm hayallerimi yıkmıştı Jay. Oysa onların Türkiye'ye gelip benim ve ailemin konuğu olmalarını ne kadar çok isterdim...

Tek umudum kalmıştı: Mr. Wilson! Bu konuyu bir kez de onunla konuşmalıydım.

Döndüğümüzde Carol ve Dale yatmışlardı.

Yatağımın üzerine yarın sabah giyinmem için koydukları eski gömlek, çılgın bir güne uyanacağımı müjdeliyordu...

21 Temmuz

Crazy Day: Çılgın Gün

Sabah 07.00'de uyandım ve hemen hazırlanmaya başladım.

Orası burası kesilmiş pantolonumu, kolları sıvanmış ve çengelliiğnelerle tutturulmuş eski gömleğimi giyindim. Gömleğin önüne bir düğüm attım. Saçlarımı iki yandan atkuyruğu yaptım. Yanaklarımı, Carol'ın verdiği kırmızı boyayla elma şeklinde boyadım, üzerine çiller çizdim. Koyu renkli diş boyasını, ön dişlerimden birinin üzerine sürdüm. (Karşıdan bakınca, bir dişim yokmuş gibi görünüyordu.)

On beş dakika sonra arabadaydım.

Caro Lin's'e girdiğimde, karşılaştığım insanların hali görülmeye değerdi. Kesilmiş gömlekler, paramparça kotlar, hasır şapkalar ve çılgın makyajlar...

Sabahın o saatinde, kasabada tam bir festival havası esiyordu. 07.30'da Caro Lin's'in kapılarını açtık. Elbise askılarını, ayakkabı masasını, para kasalarından birini ve ucuzlatılmış tüm ürünleri dışarıya taşıdık.

Daha işimiz bitmeden, akıllara durgunluk verecek bir müşteri akınına uğradık.

Kısa sürede binlerce dolarlık satış yapan Carol mutlu görünüyordu. Ne kadar "zararına" deseler de, kâr ettikleri belliydi.

İki saat sonra Dean'la beraber Caro Lin's'ten ayrılıp bir kasaba turu attık. Her yer aynıydı: çılgın insanlar, çılgın fiyatlar ve çılgınca bir alışveriş...

Bu arada, benimle ilgili haber geçen "Daily Globe" gazetesini aldık. Böyle bir festival gününde çıkan gazetede, benden de bir şeyler olması çok hoştu.

Fiyatlar bu kadar düşmüşken, alışveriş yapmamak olmazdı... Bir dekorasyon mağazasından birkaç tane resim çerçevesiyle renkli mumlar aldım. Bu mumlar yandığında (karanlıkta), akvaryum görünümü veriyorlardı. Babama bir zarf açacağı, anneme gözlük zinciri, Ece'ye barbi bebek... Kendim için seçtiğim hoş kokulu şeffaf sabunlarla, bu işe noktayı koydum.

Kamp Öncesi Veda Partisi

Öğleden sonra Mr. Wilson'la beraber bir açık artırmaya katıldık. Aynı eşyaya birkaç kişinin birden talip olması, alabilmek için kıyasıya mücadele etmeleri, çıkan komik sesler çok ilginç ve eğlenceliydi.

Yanımızda, evinde hayalet olduğu söylenen Mrs. Holten vardı. Lakefield Kütüphane'sinde bulunan *Güneybatı Minnesota'daki Hayaletler* adlı kitap, onunla röportaj yapıldıktan sonra yazılmıştı. Bana uzun uzun, evini ve hayaletleri anlattı. (Bu kitabı mutlaka okumalıyım!)

Böyle cıvıltılı bir günün ortasında bile, aklımda tek bir düşünce vardı: Yarın gideceğim kamp! Heyecanı şimdiden her yanımı sarmıştı...

Gece, benim için güzel bir veda partisi hazırlanmıştı. Başta Esserler, Throndsetler ve biz olmak üzere, kalabalık bir grup Queen II adlı yatla göl turu yapacaktık.

Önce hep beraber, güzel bir akşam yemeği yedik. Sonra da limana gidip, Wilsonların davet ettiği diğer arkadaşlarıyla buluştuk.

İnanamıyordum! Bu kadar insan, yalnızca beni yolcu etmek için mi buraya gelmişti?

Bir buçuk saat süren göl gezimiz, çok güzel geçti. Gölün çevresinde sıralanan değişik mimarideki evler, ağaçların gölgeleri arasından sızan ışıkların sudaki yansımaları, önünden geçtiğimiz Arnold's Park'ın ışıltılı görüntüsü... Hepsi, hepsi harikaydı!

Karaya ayak basar basmaz, Mr. Wilson beni kolumdan tutup 1919 yapımı bir şeker paketleme makinesinin yanına götürdü. Mr. Throndset de yapılışını seyrettiğim taze şekerlerden bir torbayı benim için satın aldı ve elime tutuşturuverdi. (Yolluk niyetine!...)

Dönerken, benim için bu geceye katılan herkese tek tek teşekkür ettim. İçimi garip bir hüzün sarmıştı.

Beni kucaklayanlar, kendime iyi bakmamı tembihleyenler, iyi şans dileyenler... Sanki çocuklarını ya da yeğenlerini bir yerlere yolcu ediyorlardı.

Eve dönünce eşyalarımın bir kısmını topladım. Bavulumu sabah hazırlayacağım. Artık yatmalıyım.

Evet, yarın büyük gün!

Kamp başlıyor...

22 Temmuz

Kampın İlk Günü

Sabah erkenden kalktım. Götüreceğim eşyaları bavuluma yerleştirdim ve kahvaltıya indim.

Carol ve Mr. Wilson beni bekliyorlardı. Kampta neler yapmam gerektiğini uzun uzun anlattılar, öğütler verdiler. Benim için, gerçek bir anne baba gibi endişe duyuyorlardı.

Biraz sonra Jay ve Dean, yanlarında Erin'le geldiler. Erin de benimle aynı kampta kalacaktı.

Wilsonlarla vedalaşıp yola çıktık. Jackson'daki bir çiftlikten Reiko'yu da alınca kadromuz tamamlandı.

Yolculuğumuz neşe içinde geçti. "Green Lake Kampı"na ulaştığımızda, burasının gerçekten de anlatıldığı gibi harika bir yer olduğuna inandım. Kamp değildi de birinci sınıf bir tatil köyüydü sanki...

Girişte bizi kamp yöneticisi Orville ve eşi Elvira karşıladı. Bana kampın bir iğnesini armağan ettiler ve kaydımı yaptılar. Ardından da adımın yazılı olduğu bir kartı yakama iliştirdiler. Artık, dünyanın dörtbir yanından gelen gençlerin arasına katılabilirdim...

Ama önce, odama yerleşmeliydim! Jay'le beraber, bavulumu yukarıya çıkardık. Kalacağım odanın kapısını açtığımda biraz şaşırdım. Burası, lüks bir otel odasından farksızdı. Duvardan duvara uzanan halılar, geniş yataklar, dantel perdeler, pırıl pırıl bir banyo ve yeşillikler arasında, nefis manzaralı bir balkon...

Odada üç kişi kalacaktık. Yerde, üzerinde "Hollanda" yazan bir havlu vardı. Evet, arkadaşlarımdan biri Hollandalıydı. Orville, diğerinin Finlandiyalı olduğunu söylemişti, ama ikisi de henüz görünürlerde yoktu...

Jay'le Dean, beni öylece bırakıp gittiler. Garip, karmaşık duygular içindeydim. Tüm yakınlarından uzak, ilk kez yuvaya bırakılmış bir çocuk gibiydim...

Eşyalarımı yerleştirirken, Jeff adında bir görevli geldi ve beni "hoş geldin kutlaması" için aşağıya çağırdı. Hemen indim.

Upuzun bir masanın üzerinde kahve, birkaç çeşit kurabiye ve bir dünya küresi vardı. Çevresinde de, bu kürenin farklı noktalarından fırlayıp bir araya gelmiş, çeşitli uluslardan cıvıl cıvıl gençler...

Bugün tanışma günümüzdü. Tanışma ve kampı tanıma günü... Görevliler, bu iş için ellerinden geleni yapıyorlardı.

Önce topluca, kampın içinde bir tur attık. Rahat, yumuşacık koltuklarla döşenmiş televizyon ve oturma odaları, toplantı salonu, yemek bölümü, kantinler... Her yer pırıl pırıldı.

Akşam yemeğini 17.30'da yedik. (Ne kadar erken!) domuz eti pirzolalarına dokunmayınca, salata ve meyveyle yetinmek zorunda kaldım.

Yemeğin bitiminde, Orville bizi bu bölümde çalışan görevlilerle tanıştırdı. Onlar da her yemekten sonra tabak, bardak, çatal ve bıçakları nereye götüreceğimizi, çöpleri nereye dökeceğimizi anlattılar. Böylece, işlerin bir bölümünü üstlenmiş oluyorduk.

Ardından hepimize, kamp kurallarını içeren kitapçıklarla kullanacağımız çarşaflar ve havlular dağıtıldı.

Elimizdeki programa göre, 20.30'da "konuşma saati" başlayacaktı. Toplanacağımız yer; içinde, duvardan duvara kaplanmış halıdan başka hiçbir şeyin bulunmadığı, kocaman pencerelerle çevrili, geniş bir salondu.

Hepimiz kısaca kendimizi tanıtacaktık. Ama, eğlenceli bir oyunla...

İlk konuşmacıya plastik, içi su dolu bir havuç verdiler. O da adını, ülkesini söyledi, kişisel özelliklerini anlattı ve havucu karşısında duran gence attı. Yeni konuşmacı tanıtımını yaptıktan sonra, havuç bu kez de onun çaprazındaki sarışın kıza doğru uçuverdi.

Yirmi dokuz kişilik "havuç turu" sonunda; herkes birbirini tanıyordu artık...

Evet, kampta on üç ülkeden yirmi dokuz kişi var. (Bir ülkeden birkaç kişi katılabiliyor.) En kalabalık grup, tabi ki Amerikalılar... Onları beş kişiyle Finlandiyalılar izliyor. Türkiye'yi bir tek ben temsil ediyorum!

Kısacık bir tanışma süresinin, insanları bu kadar kaynaştırabileceğini hiç düşünemezdim. Toplantı salonundan çıkarken, hepimiz birbirimizi yıllardır tanıyor gibiydik.

Hep beraber, iki kilometre uzaklıktaki Dairy Queen'e kadar yürüdük. Kumsalda havai fişekleri seyrettik. Ve tabi ki, bol bol sohbet ettik.

Dönünce, Robin Williams'ın *Günaydın Vietnam* filmini seyrettik ve odalarımıza çekildik.

Finlandiyalı oda arkadaşım on yedi yaşında. İngilizcesi pek iyi olmadığı için biraz sessiz. Hollandalı Arousse ise çok güzel bir kız. İkisiyle de çok iyi anlaşıyoruz. Şu anda uyuyorlar...

Saat gecenin 03.00'ü. Hiç uykum yok. Ama yatmam gerekiyor. Sabah 07.30'da kalkacağız ya...

23 Temmuz

En Güzeli Benim Ülkem

Sabah 07.30'da, kapımızın çalınmasıyla uyandık. Hemen giyindik ve kahvaltı salonuna indik. Herkesle günaydınlaşarak yerlerimize oturduk.

Kocaman makinelerden dökülen mısır gevrekleri, çikolatalı fıstık ezmesi ve portakal suyu iyiydi de domuz etli kızarmış sosislerle yumurta ve süte batırılmış tost ekmekleri bana göre değildi.

Kahvaltıdan sonra otobüslere binip Litchfield kasabasına indik. Önce buradaki yüksek okulu gezdik ve okulla ilgili bir film izledik. Yöneticiler bize, gelecek yıl ilkbaharda yapılacak teknoloji yarışması için davetiye verdiler.

Bu davet, aramızda espri konusu oldu. Bakalım gelecek yılki yarışmaya, hangimiz katılacaktık? Sonunda, oylama yapıp seçilecek kişiyi destekleme kararı aldık.

Aramızda çok güzel bir uyum vardı. Dostluk bağlarımız gitgide güçleniyordu. Bunu görebiliyordum. Tek ortak yönümüz gençliğimizdi. Ama, çok büyük bir ailenin bireyleri gibiydik...

Ardından, sosyal çarpıklıklara çare bulmaya çalışan bir kuruluşun konuğu olduk. Burada kimsesiz yaşlı kadınlardan özürlülere, trafik mahkemelerinden hapishanelere kadar, tüm sosyal sorunlar ele alınıyordu.

Benim en çok ilgimi çeken, özürlüler bölümü oldu. Özel vitesli özürlü arabaları, onlar için ayrılmış park yerleri, yol gösterici işaretler ve tuvaletler... Daha önce, alışveriş merkezlerinde de bu tür tuvaletlerden görmüştüm. Küçük bir oda büyüklüğündeki özel bölüm ve diğerlerine göre yüksekçe klozetler...

Amerika'da, bu tür sosyal çalışmalar sonunda, her binada özürlü tuvaleti bulunması zorunlu kılınmış. (Ne güzel, keşke bizde de böyle olsa!)

Buradan çıkınca, kasabanın parkına öğlen yemeğine gittik. Piknik havasında geçen yemek, Litchfield Belediyesi tarafından düzenlenmişti.

Öğleden sonra göle gittik. Önce biraz yüzdük. Sonra da suyun içine kurulmuş ağda, voleybol oynadık. Çok zevkliydi.

Biraz önce kampa döndük. Akşam 20.00'deki "Kültür Programı" için hazırlanmalıyım. Çünkü, Türkiye'yi anlatan bir konuşma yapacağım...

Bu akşamki kültürel programın konusu, ülkelerimizdi. Önceden belirlenen konuşmacılar, konuşmalarını yaptıktan sonra, gelen soruları yanıtlayacaklardı. Toplantıda kamp dışından izleyiciler de vardı.

Konuşmacılardan biri de bendim!

Herkes, öncelikle kıyafetime bayıldı. Çiçekli, siyah fırfırlı eteğim; boynuma bağladığım, kenarı iğne oyası dantelli yemenim onlara çok ilginç gelmişti.

Mikrofonu önce İtalyan Gian Luca aldı. (Kabul etmeliyim ki, bu çocuğun harika bir espri yeteneği var...)

Salonu dolduran izleyicilere dönüp, "Size İtalya'nın bir haritasını getirdim!" dedi ve kürsünün altından kocaman bir çizme çıkarıverdi.

Herkes katıla katıla gülerken, "Yalnız, İtalya böyle kokmaz!" diye ekledi.

Sıra bana gelmişti. Salonda çıt çıkmıyordu. Tüm izleyiciler susmuş, benim konuşmamı bekliyorlardı.

Herkesi sıcak bir gülümsemeyle selamladım. Kürsünün üzerindeki yerküreyi, ekseni etrafında şöyle bir çevirdim.

"Benim ülkemin, Türkiye'nin yerini kimler biliyor?" diye sordum.

Doğru-yanlış, birkaç yanıt geldi soruma...

"Keşke hepiniz onu tanıyabilseydiniz!" dedim. "Çünkü, en güzeli benim ülkem!..."

Bu kadar iddialı konuşmam hoşlarına gitmeyebilirdi. (Haklılardı da!) Gülerek ekledim.

"İnanmıyorsanız bakın..."

İzmir Turizm Müdürlüğü'nden ve çok sayıda turizm şirketinden, bin bir emekle topladığım posterleri, kitapçıkları ve kartpostalları ortaya döküverdim.

Turistik yörelerimiz, doğal güzelliklerimiz, tatil beldelerimiz, dünya önünde görücüye çıkmış gibiydi. Gururluydum. Çünkü, gerçekten de ülkeme ve onun eşsizliğine inanıyordum, güveniyordum.

İstediğim etkiyi yaratmıştım! Elden ele gezen kartpostallar, ilgiyle inceleniyordu. Hemen ekledim.

"Bu güzellikleri, kendi gözlerinizle görmeyi isterseniz gelin; Türkiye'yi hep beraber yaşayalım. Hepiniz konuğumsunuz..."

Davetim alkışlarla karşılandı.

Getirdiğim kartpostalları onlara armağan ederek kürsüden indim.

Benim konuşmamı diğerleri izledi. Bir ara, kamp yöneticisi Orville yanıma geldi.

"Kutlarım seni Miss Turkey!" dedi. "Gördüğüm kadarıyla en çok soru sana soruldu. En çok kahkaha senin konuşman sırasında atıldı. Tanıtımın harikaydı..."

Kültürel saatin sonunda, gene hep beraber Dairy Queen'e yürüdük. Ve bu yürüyüşleri her gece yapma kararı aldık. Öylesine eğleniyor, öyle çok gülüyorduk ki...

Dönünce kendi aramızda bir toplantı yaptık. Herkes armağanlarını kapıp getiriyor ve birbirine veriyordu. Biraz sonra kucağım, irili ufaklı armağanlarla dolmuştu. Hollanda'dan küçük tahta bir ayakkabı, Peru'dan iğne, İtalya'dan liret, oda arkadaşım Arousse'dan şirin bir tişört...

İsviçreli Reto'nun çikolatası, henüz görünürlerde yoktu. Bana, ne zaman verebileceğini sordu.

"Herkesin yürüyüşe çıktığı, benim biraz geride kaldığım bir zaman," diye yanıtladım.

Çok güldü.

Ben de onlara bir torba dolusu nazar boncuğu, küçük Türk bayrakları ve anahtarlık dağıttım. Oda arkadaşlarıma ise birer yemeni armağan ettim.

Harika bir geceydi!

Hemen uyumak istiyorum. Çabucak sabah olsun diye...

24 Temmuz

Kızılderililere Konuk Oluyoruz!...

Bu sabah, kahvaltıdan sonra, Kızılderililerin bölgesine geçtik.

Bir Kızılderili bize, kendilerini tanıtan bir konuşma yaptı.

Verdiği ilginç bilgileri dinlerken, "Gülen insanlara karşı konuşamam!" diye aniden çekip gitmez mi? Öylece kalakaldık...

Birden, seyrettiğim Kızılderili filmlerini anımsadım. Onların bölgelerinde "sarı benizli" olmak, ürkütücüydü doğrusu...

Öğlen yemeğinde de Kızılderililerin konuğuyduk. Av eti (geyik), yabani pirinç, mantarlı pilav, hamur, salata, limonata ve bitirme emri aldığımız çilekli tatlı... (Bitirmezsek çok kızarlarmış!)

Yemekten sonra, toprak kapların nasıl yapıldığını seyrettik ve bu kaplarla diğer hediyelik eşyaların satıldığı mağazaya gittik. Fiyatlar o kadar yüksekti ki, hiçbirimiz bir iğne bile almadık.

Bu arada, kabile başkanlarıyla tanıştık. Bize, kendilerinin çok yanlış tanıtıldığından yakındı. Evet, geleneklerine bağlıydılar; ama, diğer insanlara garip gelen her şeyin, mantığa uyan ya da hoşa giden bir açıklaması, mutlaka vardı.

Bundan sonraki durağımız, Simpson At Çiftliği'ydi. Burada asil ve kaliteli atların yanı sıra, midilliler (Normalden daha küçük boyda bir at türü.) de vardı.

Haraları gezerken; rehberimizden, atların gurur dolu, acıklı ve zaferlerle örülü yaşam öykülerini dinledik.

En hoşuma giden de kucağıma sokulan, yeni doğmuş, kül renkli bir tay oldu.

Çiftliktekilere veda ettik ve otobüsle Hector kasabasına doğru yola çıktık. Orada, bizim için verilecek akşam yemeğine katılacaktık.

Hayret ediyordum; kampın çevresindeki tüm kasabalar, bizleri ağırlamak için yarışıyordu sanki.

Hector'da bir gazeteci ordusu bizi bekliyordu. Gazeteleri için fotoğraf çektiler, kısa kısa röportajlar yaptılar...

Akşam kampa dönerken, bir güne bu kadar çok şeyi nasıl sığdırabildiğimize şaşıyordum.

25 Temmuz

Radyo Konuşması

Her gün olduğu gibi, bu sabah da 07.30'da kalktık.

Kahvaltıdan sonra, Willmar'a; Teknik Yüksek Okulu'nu ziyarete gittik. Gerçekten, çok güzel ve farklı bir okuldu.

Bilgisayarlarla dolu sınıflardan birinin duvarında gördüğüm ilginç sözler, beni kalem aramaya zorladı:

Nasıl *olduğunu bilen insan, mutlaka bir iş bulur.* ***Niçin*** *olduğunu bilen insan ise, kendi işinin patronu olur!*

Okul turundan sonra, iki gruba ayrıldık: Birinci grup, kozmetikle ilgili bir fabrikaya konuk olacaktı. Dün seçilen, sekiz ülkenin temsilcisi ise (Biri ben!), bir radyo programına katılacaktık.

Otobüsle radyo istasyonuna gittik. Bizi önce toplantı salonuna aldılar. Burada, röportajlarımızı yapacak olan kadın yönetmenle uzun uzun sohbet ettik.

Sonra istasyonu gezdik ve yayın odasına alındık. Sunucu, çok şirin bir kızdı. Kampımızı tanıtan kısa bir konuşmanın ardından, mikrofonu bize bıraktı.

Önce birer birer kendimizi tanıttık, ardından koro halinde kamp şarkımızı söyledik. Programımızın ilk bölümü tamamlanmıştı.

Sunucu, kasetteki folk şarkısını çalarken, bizi röportaj odasına çağırdılar. Ben, dörtlü gruplardan ilkindeydim. Yönetmenin sorduğu sorulara yanıt verirken, heyecanlanmadım desem yalan olur... Kolay mı, elli bin kişinin dinlediği bir Amerikan radyosunda, kendimi ve Türkiye'mi anlatıyordum...

Konuşmaları banda kaydetmişlerdi. Hepimize birer tane armağan ettiler. Bunları kendi ülkelerimizde dinlemek çok hoş olacaktı.

Çıkarken, yönetmenimizden harika bir övgü aldım: Bir Amerikalıdan daha seri İngilizce konuşuyordum. Bu İngilizceyi nereden öğrenmiştim acaba?

Radyodan ünlenmiş(!) olarak ayrıldık ve kozmetik fabrikasına giden arkadaşlarımızla buluştuk. Biz mikrofon karşısında ter dökerken; kızlar saçlarını yaptırıp tırnaklarını boyatmış, erkekler de saçlarına fön çektirmişlerdi. Üstelik, elleri kolları da kendilerine armağan edilen makyaj malzemeleri ve şampuanlarla doluydu.

Onların da aklı bizde kalmıştı. Bizi radyodan dinlemiş, konuşmalarımıza bayılmışlardı...

"Turkey" değil, "Türkiye!"

Sırada, Willmar Lions Kulübü'nün, bizim için düzenlediği yemekli toplantı vardı.

Klasik koltuklarla döşenmiş salona girdiğimizde, (En önde ben vardım!) yaşlıca bir Lion yanıma yaklaştı.

"Benim konuğum olur musunuz?" diye sordu.

Salonda, hepimizi ayrı ayrı konuk edecek sayıda Lion vardı.

Yemekler, sohbetler; bize gösterilen ilgi... Hepsi çok güzeldi.

Beni ağırlayan Lion, Willmar'ın en ünlü işadamlarından biriydi.

"Turkey" diye konuşmasına başlamıştı ki, "Hayır," dedim gülerek. "Turkey değil, Türkiye! Biz, dünya üzerinde herkesin, ülkemizi 'Türkiye' olarak tanımasını istiyoruz. Ama, bilgisayarların beyinlerindeki 'Turkey' sözcüğünü değiştirmek çok zormuş. Açıkçası, bu durumdan hiç de hoşnut değiliz..."

Beni dikkatle dinleyen masa arkadaşım, adresimi aldı. Kendi kartını da bana verdi.

"Bu konuda herhangi bir gelişme kaydederseniz, mutlaka bana bildir," dedi. "Ben de sana yazacağım. Zarfın üzerinde, 'Turkey' değil, 'Türkiye' yazacak, emin olabilirsin..."

Dışarı çıktığımızda, müthiş bir yağmur başlamıştı. Otobüslere binip kampa döndük. Öğleden sonrayı müzik dinleyerek, adres ve imza toplayarak geçirdik.

Bir de baktık ki saat 17.30 oluvermiş!

Bu saatte akşam yemeği yemeye alıştım galiba. Bir de yemeklere alışabilsem... Verdikleri domuz sosislerini, görmek bile istemiyorum artık! Et yemediğim için, herkes beni vejetaryen sanıyor.

Akşam, kültürel programda Norveç'in slaytlarını izledik. Japon Reika'nın konuşmasını dinledik. Ardından, alışkanlık haline getirdiğimiz Dairy Queen yürüyüşümüzü yaptık.

Dönünce, çok şirin bir film seyrettik: *Bak Şu Konuşana.*

Ne var ki, bizde konuşacak hal kalmamıştı. Odalarımıza çekildik...

26 Temmuz

Türkleri Tanımıyorlar!

Kampın son üç günü...

Ayrılık hüznü, iyiden iyiye çöktü üzerimize. Ama evime, anneme, babama ve Sinoş'uma duyduğum özlem, her şeyin üzerinde! Nerede olursam olayım, onları düşünmeden bir tek adım atamıyorum ki...

Kampta bir de "Küçükler Grubu" var. Bugün ikişer kişilik gruplar halinde, onların odalarına konuk olduk.

Yanımdaki Eriko (Japon), İngilizceyi iyi konuşamıyordu. On bir on üç yaş arası kızlar ve oğlanlar da hep beni dinlediler. Yaşları küçük, ama her biri, birer ateş parçası olan bu çocuklarla söyleşmek çok zevkliydi. Onların yanında kendimi daha da büyümüş ve olgunlaşmış hissediyordum.

Öğleden sonra, konuşma saatimiz vardı. Konu, ülkelerin idari şekli ve politikalarıydı.

Sıra bana geldiğinde, "Biz genç bir cumhuriyetiz," dedim. "1923'te doğduk..."

Japon Eriko yarım yamalak İngilizcesiyle, "Türkiye'de padişahlar yok mu?" diye sormaz mı!

Konuşma süremi, biraz uzatmak zorunda kaldım haliyle...

"O eskidendi," dedim. "Atatürk'ten önce..."

Sonra dosyamdan, Atatürk'ün büyük boy bir resmini çıkardım.

"İşte en büyük Türk!" dedim. "Biliyor musunuz, ben burada sizlerle beraber olmamı bile ona borçluyum..."

Hepsi dikkatle beni dinliyordu. Onlara, anlayabilecekleri kadarıyla, Atatürk'ü ve yaptığı devrimleri özetleyiverdim. Her Türk çocuğunun, annesi ve babasıyla beraber Ata'sını da tanıdığını anlattım.

Sözlerimi bitirirken, "Aslında, biz şanslı bir ulusuz," dedim. "Çünkü, Atatürk gibi bir lidere sahip olabildik."

Konuşmalar sırasında, Amerikalıların ülke yönetimi ve politika konularına ilgisiz olduklarını fark ettim. Onlar için günlük olaylar ve magazin haberleri, politik konulardan önce geliyordu. Politika, politikacıların işiydi...

Akşam yemeğinden sonra dışarıya çıktık. Bizim için düzenlenen, "Yetenek Gösterisi"ni izleyecektik.

Kampın önündeki asfalt yolda, uzaktan kumandalı, kocaman bir araba duruyordu. Birden hareket etti. İlerledi, ilerledi; aniden iki tekerleğinin üzerine dikiliverdi.

Ardından, maket uçakların gösterisi başladı. Üç maket uçak, havada pikeler yaparak bir süre uçtu. Sonra da alkışlar arasında, suyun üzerine indi.

Harika görüntülerdi. Ama bence, gösterinin adı yanlıştı. Çünkü sergilenen, yetenekten önce teknolojiydi.

Gece geç saatlere kadar oturup sohbet ettik. Hepimiz, geçireceğimiz zamanın gitgide azaldığının bilincindeydik...

27 Temmuz

Tişörtler İmzalanıyor

Bugün çok farklı bir çalışma yaptık: batik!

Sabah kahvaltıdan sonra, hepimize birer beyaz tişört dağıtıldı. Bir batik öğretmeni, bunları nasıl boyayacağımız hakkında bilgiler verdi. Artık işe koyulabilirdik...

Boya yapmayı yeni öğrenen anaokulu çocukları gibi, neşeyle güle söyleye, tişörtlerimizi batikledik. Ellerimiz, hatta yüzlerimiz bile boya içinde kalmıştı. Ama gururla gösterebileceğimiz, kendi el emeğimiz, birer batik tişörtümüz olmuştu...

Bugün şanslı günümüzdü. Öğlen yemeğinden sonra da bize, üzerinde kampın ambleminin bulunduğu birer tişört armağan ettiler. Bunların üzerini imzalarımızla dolduracaktık.

İsveç'ten Peter; Norveç'ten Thomas; Avusturya'dan Ursula, Gertraud; Finlandiya'dan Mari, Joanna, Maarit, Kaisa; Almanya'dan Silvia, Tobias; İtalya'dan Gian Luca; Hollanda'dan Arousse, Reinoud, Jacquelyne; Japonya'dan Eriko, Reiko; İsrail'den Mickey; Peru'dan Vicente, Beatriz; Amerika'dan Erin, Linda, Bill, Jeanne, Dan, Sharon...

Hepsi tişörtümün üstünde -ve kalbimde- yerlerini almışlardı.

✣ ✣ ✣

Akşam, kilisede sergilenen bir müzikale gittik: "Kamp Ateşi."

İlginç olan, tüm kamp çalışanlarının oyunda rol almasıydı. Hepsi de son derece başarılılardı.

Bu güzel gösteri, çizgi film şarkılarının herkes tarafından dans edilerek söylenmesiyle son buldu.

Kampa dönünce, gece söyleşilerimize kaldığımız yerden devam ettik.

Uyku ve saat kavramlarını çoktan yitirmiştik.

28 Temmuz

Kamp Bitiyor

Bugün kamptaki son günümüz. Yarın ayrılıyoruz. Hem kamptan, hem de birbirimizden... Bu iş, epey zor olacağa benziyor.

Son günün şerefine, bu sabah geç kalktık: 10.30'da. "Brunch" dedikleri (artık bizde de kanıksanan), kahvaltı öğlen yemeği arası bir öğünün ardından, paten kaymaya gittik. (Daha önce hiç denememiştim.)

Patenlerimizi alıp piste çıktık. Tabanında çelikten (O güzel çocuk romanındaki gibi gümüş değil!) tekerlekler bulunan yüksek ayakkabıların üzerinde durabilmek bile yeterince zordu.

Birkaç kez düşüp kalktıktan sonra, ayakta kalmayı başardım. Hatta, yeni emeklemeye başlayan bir bebek ürkekliğiyle, yavaş yavaş kaymaya bile başladım.

Bu arada, beraber kaydığımız Eriko'dan bir sürü Japonca sözcük öğrendim. Kaç gündür bir aradayız, onun İngilizcesinde hiçbir ilerleme yok. Ama ben, neredeyse Japoncayı sökeceğim...

Bugün, bizim için eğlenceli bir program hazırlanmıştı: Patenden sonra Willmar'daki alışveriş merkezi, ardından yüzme ve suda voleybol...

Ne yaparsak yapalım, gitgide yaklaşan ayrılığın burukluğunu üzerimizden atamıyorduk.

Akşam yemeği için, resmi giyinmemiz istenmişti. (Yarın kamptan ayrılacak olanlara saygı!)

Yemek salonuna indiğimizde, gözlerimize inanamadık. Masalar renkli kâğıt ve peçetelerle süslenmişti. Çalışanlar da en az bizim kadar özenle giyinmişlerdi.

Bu kez tabaklarımızı kendimiz almadık, masalara servis yapıldı. Yemekler de her zamankinden farklıydı. Tavuk, kızarmış patates, salata ve dondurma...

Herkes çok şıktı. En güzel giysiler giyilmiş, saçlar taranmış, kokular sıkılmıştı.

Benim kıyafetime ve gümüş küpelerime bayıldılar. Hepsiyle tek tek fotoğraf çektirdim.

Bu kadar sarışın insanın içinde, gözler ister istemez bana dönüyordu ve koyu renk saçlarım, kahverengi gözlerim övgü yağmuruna tutuluyordu.

Uzun süren fotoğraf çekme faslının ardından kumsala indik. Çıplak ayakla kumların üzerinde yürüdük, koştuk...

Sonra dönüp, piyanonun başında toplandık. Şarkılar söyledik, dans ettik. Videoda kendi filmimizi seyrettik. Yedik, içtik, sohbet ettik...

Son gecemizi doyasıya yaşamak istiyorduk...

29 Temmuz

Ayrılık Hüznü

Dün gece hiç uyumadık.

Biraz sonra aşağıya ineceğiz. Odada çıt çıkmıyor. Sessizliği bozan tek şey, arada bir oda arkadaşlarımla kucaklaşmamız.

Duşumu aldıktan sonra, geri geri giden adımlarla aşağıya indim.

Kahvaltının ardından, hiç beklemediğimiz bir durumla karşılaştık: Odalarımızı temizlememiz için, ellerimize temizlik gereçleri tutuşturuldu. Ve tüm kampın temizliğini biz yaptık. (Bu, geleneksel bir kamp âdetiymiş!)

Eşyalarımı alıp salona indiğimde, kampı saran yoğun hüznün bir parçası oluverdim...

Oraya buraya yığılmış bavullar, çantalar; birbirine sarılıp hıçkıra hıçkıra ağlayan kızlı erkekli gençler...

Nasıl olmuştu da, daha bir hafta önce birbirlerini tanımayan bu insanlar arasında, böylesine güçlü bir bağ kurulabilmişti?

Uluslararası kampın, uluslararası kampçıları...

Hayır, bu kadar basit değildi! Biz burada, bir "dünya ailesi" kurmuştuk. Her birimiz, bu ailenin bireyleriydik. Sevgimiz ve dostluğumuz saftı, katkısızdı.

Ve artık ayrılıyorduk...

Çocuklarını almaya gelen her aile, bizden de bir parça koparıyordu. Kendimi çok kötü hissediyordum.

Yazışmak için verilen sözleri, gelecek yıl Danimarka'da buluşma kararı izledi. (Bakalım gerçekleştirebilecek miydik?)

Sevgi ve dostluk kokan bu buruk havayı bırakıp çıkmak çok zordu. Ne var ki, Carol'la Dale, kapıda görünmüşlerdi bile...

Kamptan Minneapolis'e Uzanan Yol

Yol boyunca beni teselli ettiler. Elime annemden, anneannemden, Ayla Öğretmen'imden gelen mektupları tutuşturup moralimi düzeltmeye çalıştılar.

Başardılar da!

Annemim özlem dolu satırlarını okurken biraz toparlandım. Ardından Mr. Wilson'ın, "İşte Minneapolis!" diyen sesiyle iyice kendime geldim.

Kamp günlerinin anısı, kurduğum sıcacık dostluklar, tüm canlılığıyla kalbimde yaşayacaklardı. Ama, içinde bulunduğum zamana dönmeliydim artık...

Kısa bir şehir turu attıktan sonra, Mr. Wilson'ın kız kardeşi Pearl'ün evine gittik. Bu gece burada kalacaktık. Yarın, Mr. Wilson'ın ağabeyinin düğününe de buradan gidecektik.

Eve girer girmez, bana gösterilen yatağa kendimi atıverdim. Tam iki buçuk saat uyumuşum... Carol'ın saçlarımı okşamasıyla uyandım. Ve onu ne kadar çok özlemiş olduğumu fark ettim.

Hemen kalkıp hazırlandım. Gelin ve damadın ailelerinin hazır bulunacağı bir yemeğe katılacaktık.

Zorlu bir gün geçirmiştim ve çok yorgundum. Çevremdeki insanların yüzlerine bakabilmek için gözlerimi açık tutmaya çalışmak, tam bir işkenceydi. Yemeğin sonunu iple çektim.

Ama yarın, yepyeni bir gün! Benim için sürprizlerle dolu... Amerikan usulü bir düğüne katılacağımı düşündükçe, içim içime sığmıyor.

30 Temmuz

Bir Amerikan Düğünü...

O yumuşacık ve kocaman yataktan, saat 10.00'da zor ayrılabildim. Evin önünde, asırlık ağaçların gölgesinde yaptığımız kahvaltı, beni biraz kendime getirdi.

Pearl'ün on dört yaşında bir oğlu var. Hemen kaynaşıverdik. Bana beslediği fareleri gösterdi. Sonra da beraberce yürüyüşe çıktık.

Minneapolis, iki milyonu aşan nüfusuna göre, çok geniş bir alana sahip. Yemyeşil çimenlerin ortasındaki evler, tıpkı Amerikan filmlerindeki gibi...

Yeşile gömülmüş geniş caddeden, yürüye yürüye Medicine Plajı'na indik. Göz alabildiğine uzanan kumsalı görünce, kampı ve Dairy Queen'i anımsamaktan kendimi alamadım.

Döndüğümüzde, ev ayaktaydı. Düğün telaşı, her yanı sarmıştı. Hemen duşumu aldım ve giyindim. Katılacağım ilk kilise düğününe az bir zaman kalmıştı.

Fotoğraflar, çiçekler ve süslü bir gelin arabası... Hep aynı şeyler, değil mi? Ama, buradaki gelin arabası bir limuzindi. Hani körüklü bir belediye otobüsünün, alttan ve üstten bastırılıp, yassı hale gelmiş şekline benzeyen arabalar var ya... İşte onlardan!

Gelelim gelinle damada...

Mr. Wilson'ın ağabeyi olan damat, ondan çok daha genç gösteriyordu. Linda ise nefis bir gelinlik giyinmişti ve çok güzeldi. Üstelik, yalnızca otuz bir yaşındaydı! (Aradaki yaş farkı biraz fazla galiba!)

Kilisedeki resmi nikâh töreni bana, Amerikan televizyon dizilerindeki benzer sahneleri anımsattı. "İyi günde ve kötü günde..." diye başlayan, damadın gelini öpmesiyle son bulan, bildik görüntüler...

Asıl düğün, bundan sonra başlayacaktı.

Arabalara bindik. Yarım saatlik bir yolculuktan sonra, Minakango Gölü'ne ulaştık. Sahilde bizi, kocaman bir yat bekliyordu.

Bin bir çeşit yiyeceğin ve içeceğin bulunduğu büfeler, şık giyimli davetliler... Burasının, beş yıldızlı bir otelin balo salonundan hiçbir farkı yoktu.

Müzik, dans, eğlence, düğün pastası...

Sonunda, ayrılma zamanımız gelmişti. Başta gelinle damat olmak üzere, herkesle vedalaşıp arabamıza bindik.

Jay direksiyona geçti. Biraz sonra nöbeti Mr. Wilson'a devretti. Küçük kasaba trafiğine alışık insanlar için, tabelalarla yönetilen bu kalabalık trafik, tam bir kâbustu.

Yolculuğumuz üç buçuk saat sürdü.

İşte gene Lakefield'de ve evimizdeydik! Çok mutluydum...

31 Temmuz

Göl Kıyısında Bir Kulübe

Bunca yorgunluğun üzerine, keşke biraz dinlenebilseydim! Ne gezer...

Bir haftadır biriken çamaşırlarımı yıkamak, bir yandan da yeni bir yolculuğun hazırlıklarını yapmak kolay değildi doğrusu... Bu kez de, kısa süreli bir tatil için yollara düşecektik.

Büyük karton kutuları ağzına kadar dolduran yiyecekler, içecekler; oltalar, solucanlar (balık yemi) ve bavullar arabaya yüklendi. Sekiz saat sürecek yolculuk için hazırdık artık...

Neyse ki, bu koskoca arabada herkese, yastığı ve battaniyesiyle, mutlu saatler geçirebileceği genişlikte yer vardı.

Akşamüzeri, güneyden tamamen farklı bir ortama, Kuzey Minnesota'ya ulaştık. Wassen Gölü kıyısında, kalacağımız kulübeyi bulduk.

Burası, Wilsonların yakın bir akrabasının yazlık evi... Aslında kocaman bir yapı, ama ahşap olduğu için "kulübe" diyorlar.

Ağaçlar ve yeşillikler arasına gömülmüş evin manzarası harika... Yan tarafta, balığa çıkacağımız büyük bir bot ve bir kano duruyor.

Arabadan eşyaları boşaltır boşaltmaz, kısa bir keşif yürüyüşü yaptık. Bu arada, iskelede Mr. Wilson'dan ilk olta dersimi aldım ve hepsinin şaşkın bakışları arasında, iki balık yakalayıverdim.

Akşam yemeğinden sonra, hep beraber botla balığa çıktık. Üç saat süren bu serüven, gerçekten çok zevkliydi.

Dönünce, Carol şömineyi yaktı. Jay'le ben mısır patlattık. Çıtır çıtır yanan odunların sesi, içimize huzur veriyordu.

Böyle bir ortamda, üç günlük yeni bir tatile başlamak, hepimizi mutlandırıyor.

Bakalım yarın neler yapacağız?...

1 Ağustos

Gerçek Bir Tatil Günü...

İşte, doğanın kucağında, hiçbir şey düşünmeden geçirebileceğim, sessiz, sakin, harika bir gün...

Sabah 11.00'de uyanıp mısır gevreği ve sütle kahvaltımı yaptım. Sonra da Dean'la beraber evin önündeki, göle bakan küçük barakaya gittik. Bu, içinde bir odası, üst katta balkonu bulunan şipşirin bir evcikti. Balkonunda bir hamak, bir de şezlong vardı.

Yüzlerce kitabın bulunduğu kütüphaneden aldığım kitabı, hamakta uzanarak okuyacaktım. Göz gezdirdiğim satırlardan başımı kaldırdıkça; aşağıda, iskelede, bizimkilerin balık tutmasını seyredebiliyordum.

Öğlene doğru alışverişe çıktık. Bu küçücük yerde, öyle şirin dükkânlar vardı ki... Bunlardan birinde, eski kotların çevresine fırfır geçirilerek yapılmış mutfak önlükleri gördüm. (Bu fikri anneanneme söylemeliyim!) Sonra, küçük bir marketten öğlen yemeği için gereken malzemeleri alıp kulübemize döndük.

Hep beraber mutfağa girdik. Mr. Wilson, nefis bir peynirli makarna hazırladı. Carol salata yaptı. Ben de sofrayı kurdum.

Yemeğimizi yedikten sonra balığa çıktık. Mr. Wilson'ın programına göre, dönüşümüz akşamı bulacaktı.

Birkaç tane balık tuttum ve bu işten vazgeçtim. Oltayı suya sarkıtıp bir titreşim hissedince çekivermek kolaydı da; solucanları, küçük balıkları ve siyah sülükleri parçalayıp kancalara takmak, hiç hoş değildi...

Eve dönünce, şöminenin çıtırdayan ateşini dinleyerek kâğıt oynadık. Mr. Wilson'ın hazırladığı sandviçleri yedik, kahve içtik...

Şu anda; yüksek, iki kişilik bir yatağın üzerine oturmuş, bu satırları yazıyorum. Dean, uyumak için, hamağı barakadan buraya taşıdı ve şöminenin önüne kurdu. Jay ise koltukta yatıyor. Aslında, bu rahat koltuğu ben istemiştim. Ama yatak onların bana ikramıydı, reddedemezdim.

Şimdi, sakin ve huzurlu bir uyku beni bekliyor...

2 Ağustos

Pikniğe Gidiyoruz

Sabah kahvaltı yaparken, Carol, pikniğe gideceğimizi müjdeledi.

Gereken hazırlıkları yapıp yola koyulduk. Tam yolu yarılamıştık ki, Carol, "Dale!" diye haykırdı. "Galiba kahve makinesini fişte unuttum..."

Gerisingeriye dönmek zorunda kaldık.

Hayır, makine fişte değildi.

Biraz yol aldıktan sonra, bu kez de Mr. Wilson, "Balkon kapısını kapatıp kapatmadığımı hatırlamıyorum," demez mi!

Sivrisineklerin eve doluşmasını göze alamazdık. Çaresiz, bir "U" dönüşü daha yaptık.

Kapının kapalı olması, hepimizi gülmekten yerlere serdi. Üçüncü kez yola çıktığımızda, kim ne söylerse söylesin, geri dönmeme kararı aldık.

İlk durağımız bir çöplüktü. Evet, bir çöplük!

Mr. Wilson, üzerinde "Çöp Alanı" yazan bir levhanın yanında durdu ve bir görevliden üç dolar karşılığında giriş kartı satın aldı. Bu kartla burayı dört kez ziyaret edebilirmişiz.

Jay ve Dean, bagajdaki kocaman çöp torbasını çıkarıp devasa bidona attılar.

En hoşuma giden şey, çöplerin sınıflandırılmış olmasıydı. Şişe, plastik atıklar, gazeteler, diğerlerinden ayrı bidonlara atılıyordu.

İnsanların, çöpleri konusunda bu derece titiz davranmaları övgüye değerdi. Üstelik bu iş için, seve seve para ödüyorlardı.

Sonunda piknik yerimize ulaştık. Burası göl kenarında (Gördüğüm kaçıncı göl acaba?), yemyeşil bir parktı.

Doğa harikası bu yerde nefis bir piknik yemeği yedik. Altı üstü, birer tavuklu sandviç ve meyve suyuydu ama, bu cennet gibi ortamda ziyafete dönüşüvermişlerdi.

Ardından, kilometrelerce yolu içeren dağ yürüyüşümüze başladık. Tümsekler, çukurlar, tepecikler, meyiller... Yorulmuş ve terlemiştik.

Doğruca göle indik. Soluklarımız kesilinceye kadar yüzdük.

Sıra, parktaki ilginç müzeyi gezmeye gelmişti. Burası, doldurulmuş av hayvanlarının bulunduğu bir müzeydi. Canlı gibi duran geyikler, baykuşlar ve diğer yabani hayvanlar...

Birbirine sokulmuş iki küçük ceylanın öyküsü beni çok etkiledi: Anneleri, onlar karnındayken, araba altında ezilmişti. Yani, bu ceylancıklar, daha doğmadan ölmüşlerdi. Özel bir yöntemle ana karnından çıkarılıp doldurulmuşlardı.

Dönüş yolunda, Mr. Wilson av malzemesi satan bir dükkânda alışveriş yaptı. Ben de Sinan için bir olta takımıyla yumuşak balık yemlerinden aldım.

Eve gelince duş aldık ve balığa çıktık. Dün, dört balık yakalamıştım. Bugün yalnızca doğayı ve Jay'in nilüferlere taktığı oltaları seyrettim.

Akşam ben, Carol, ve Jay yeni bir kâğıt oyunu oynarken, Mr. Wilson ve Dean, yeniden balığa çıktılar. Carol, Mr. Wilson'ın tam bir "balık avı çılgını" olduğunu söylüyor. Galiba haklı...

Yarın buradan ayrılıyoruz. Sabah erkenden kalkıp evi temizleyeceğiz. Sonra da dönüş yolu...

Bu harika tatil için Carol'a ve Dale'e nasıl teşekkür edeceğimi bilemiyorum.

3 Ağustos

Lakefield'e Dönüş...

Sabah 06.00'da, Dean'ın başucumda söylediği "Kalk artık sabah oldu!" şarkısıyla uyandım.

Carol, yumurta ve süte buladığı ekmekleri kızartmış, üstlerine şurup dökmüş, bizi kahvaltıya bekliyordu.

Yarı uyur, yarı uyanık kahvaltımı yaptım. Eşyalarımızı arabaya yükledik ve yola çıktık.

Bir süre uyumuşum. Gözlerimi açtığımda St.Cloud'daydık. Gökdelenlerin gökyüzünü delercesine sıralandığı, tipik bir Amerikan şehri... Burada kısa bir mola verdikten sonra, tekrar yola koyulduk.

Yol üzerinde Steward'a uğrayıp Carol'ın annesiyle babasını ziyaret ettik. Çok şirin ve tonton, yaşlı bir çiftti. İkisi de hem Carol'a, hem de birbirlerine benziyorlardı. Bize çikolatalı pasta ve dondurma ikram ettiler.

Yolculuğumuzun son bölümünü, arabanın arka koltuğunda Jay'le kâğıt oynayarak geçirdim.

Sonunda Lakefield'e ve evimize kavuştuk.

Buradaki son günlerimi yaşıyorum. Ama bu beni fazla üzmüyor. Çünkü, kendi evimi çok ama çok özledim!

Yarın Lakefieldli dostlarımla vedalaşmaya başlayacağım.

4 Ağustos

Veda Turları

Başımı kaşıyacak zamanım yok!

Sabah, Margaret'in armağan ettiği yemek kitabından yaralanarak, iki kez hamur yoğurdum ve iki büyük tepsi kurabiye pişirdim. Bu kurabiyeler, benim kasabaya "Allahaısmarladık" armağanım...

Ardından eczaneye gittim. Bir kutu cicili bicili kart alıp eve döndüm. Önceden müsveddelerini hazırladığım kısa teşekkür mektuplarını temize çektim. Sonra, Carol'ın verdiği karton tabaklara kurabiyeleri paylaştırdım. Üstlerini marmelatla süsledim. Tabakları naylonla kaplayıp, kartlarımı iliştirdim.

Dağıtım işini yarın yapacaktım. Ama, Mr. Brown ve Caro Lin's'te çalışan June'la bugün vedalaşmam gerekiyordu. Çünkü, ikisi de yarın kasabada olmayacaklardı.

Carol'la beraber, elimde Caro Lin's'ten aldığım bez çanta ve kurabiyelerle evden çıktık. Bu çantayı, uğradığım herkese imzalatacaktım.

June'la son kez kucaklaşmamız çok hüzünlüydü. Neredeyse ağlayacaktım. Bu vedalaşma işi, umduğumdan zor olacak galiba...

Sıra Brownlardaydı.

Mr. Brown... İlk tanıştığımız gün bana bir iğne armağan eden; geçit törenini düzenleyen ve benim için özel araba hazırlatan Ay'dan gelen taşla fotoğrafımı çeken; elinden gelse beni, dünya üzerindeki tüm insanlara tanıtmaya çalışacak harika insan... Söylediği son sözler, kulaklarımdan silinecek gibi değildi.

"Sen gidince, 'Lakefield'den fırtına gibi bir Renan geçti ve unutulmaz izler bıraktı,' diyeceğiz. Ve seni, her an içimizde yaşatacağız..."

Çantamın üzerine imza attırıp kurabiye paketimi bıraktım. Carol'la beraber dışarıya çıktığımızda, gerçek bir dosttan ayrılmanın hüznünü yaşıyordum.

Yarın buradaki son günüm!

Duygu yüklü dakikalar beni bekliyor...

5 Ağustos

Lakefield'de Son Saatlerim...

Lakefield'deki son günüm, biraz buruk olsa da, çok güzel geçti.

Sabah son kez kiliseye gittim. Törenden sonra kahve içtik ve bol bol fotoğraf çektirdik. Bu şirin insanları bir daha göremeyecektim... Bunu düşünmek, içimde garip bir sızı yaratıyordu.

Eve dönünce, günlerdir gözümü korkutan bavul toplama işini, biraz kolayladım. Ardından da Carol'la beraber, kurabiyeleri dağıtmaya çıktık.

Önce hayaletli olduğu söylenen, içi antika eşyalarla dolu evi ziyaret edip Mrs. Holten'le vedalaştım. Sonra Nelsonlar, Throndsetler, Breadsleyler, Mrs. King ve Esserler...

En zoru da Esserlerden ayrılmaktı. Mrs. Esser'in boynuma sarılarak ağlamasını, "Gelecek yıl da bizim konuğumuz olmalısın!" demesini hiç unutmayacağım.

İlk gazete röportajımı yapan Robin, ne yazık ki Lakefield'de değildi. Görevli olarak kasaba dışına gitmişti. Onun kurabiye tabağıyla kartını da Mrs. Esser'e bıraktım.

Herkesin tek tek çantamı imzalaması, epey zaman almıştı. Bu arada, ayrılık armağanı olarak verdikleri irili ufaklı paketleri de nereye koyacağımı şaşırmıştım.

Eve döndüğümüzde, on altı dolarlık çocuk bakıcılığı param beni bekliyordu. Bunun dört dolarını Dean'a verdim. Çünkü, çocuklarla iki buçuk saat de o oturmuştu.

Biraz sonra Throndsetler geldiler. Bana armağan olarak, kocaman bir barbi bebek getirmişlerdi.

"Seni yolcu ettikten sonra, can sıkıcı iki oğlanın bulunduğu bir eve dönmek, hiç de güzel olmayacak!" demeleri, hoş bir espriydi.

Evet, bu dost insanlardan ayrılmak gerçekten çok üzücü. Ama yuvama kavuşacağımı düşünmek, içimi tatlı bir heyecanla dolduruyor.

Bunlar, Lakefield'deki son saatlerim. Yarın sabah saat 06.00'da Minneapolis'e, Amerika'daki son durağıma doğru yola çıkıyoruz...

6 Ağustos

Biraz da Alışveriş...

Artık şundan eminim: Wilsonlar için yolculuk, tam bir tutku!

Sabahın 06.00'sında Dean'ın, "Yeniden arabada olmak gibisi yok!" demesi de bunu doğrulamıyor mu?

Kısa bir süre yol aldıktan sonra, kahvaltı molası verdik. Peynirli kekleri, kurabiyeleri ve kahveleri ben ısmarladım. Bu küçük ikram çok hoşlarına gitti.

Neşeyle geçen üç saatin sonunda Minneapolis'e ulaştık. Yükseklikte birbiriyle yarışan gökdelenler arasından otelimizi bulup yerleştik.

Kalacağımız yer, içinde mutfağı, iki televizyonlu oturma salonu ve yatak odaları olan kocaman bir daireydi.

Sonra oteli gezmeye çıktık. Sauna, jimnastik salonu, yüzme havuzu... Wilsonlara, Türkiye'de de buna benzer, sayısız otel bulunduğunu gururla anlattım.

Sıra alışverişe gelmişti. Burası, Mr. Wilson'ın da söylediği gibi, tam bir alışveriş cennetiydi.

Carol, Windom'da ikinci mağazasını açmaya hazırlanıyordu. Burasını doldurmak kolay değildi haliyle... Üstelik, müşterilerine kaliteli ürünler sunmak istiyordu.

Beraberce Amerikan moda dünyasının kalbine, yumuşak bir iniş yaptık. Birden kendimi, parfüm kokan, güzel giyinmiş uzmanların arasında, kıyafet seçerken buldum.

Benim için mikili bir kazak, bir kot ceket ve önü işli bir tişört yeterli olmuştu. Ama Carol'ın işi uzundu. Onu orada bırakıp çıktık.

Sinan'a bir spor ayakkabısı almak istiyordum. Bu iş, epey zamanımı aldı. Sonunda tam istediğim gibi bir ayakkabı buldum ve yüz on doları, hiç gözümü kırpmadan sayıverdim.

Mr. Wilson bile, "Biraz pahalı olmadı mı Renan?" diye sormaktan kendini alamadı.

Haklıydı! Elimdeki kısıtlı parayı nasıl dikkatle harcadığımın farkındaydı. Ama bir tanecik kardeşim için değerdi doğrusu...

"Bu paketi eline verdiğimde, Sinoş'umun yüzünde göreceğim sevinç var ya... İşte o bana yeter!" dedim.

Dean'ın, "Keşke Sinan'ın yerinde ben olsaydım!" diye sızlanması çok hoştu.

✣ ✣ ✣

Akşamüzeri Carol'ı da alıp dünyaca ünlü Twins takımının beysbol maçına gittik.

Üç büyük otobüs, kalabalık bir izleyici grubunu maçın yapılacağı stadyuma taşıyordu. Biz de bunlardan birine bindik ve kısa bir yolculuktan sonra, Metrodome'a ulaştık.

Burası, şimdiye dek gördüğüm en görkemli beysbol stadıydı. Yapay çim saha, ışıklı kocaman tabelalar, maçı yakından izlemeyi sağlayan dev ekranlar...

Dönüşte, otelimizin yemek salonunda, güzel bir akşam yemeği yedik. Bir yandan da ertesi günün programını yaptık.

Saat 08.15'te Carol ve Dale, iş görüşmesi için otelden ayrılacaklar, biz de Apple River'a gidip "rafting" yapacağız. Ama önce, Carol'ın Minneapolis'teki kardeşi Mary ile kızlarını, evlerinden almamız gerekiyor.

Yarın, Amerika'daki son günüm...

7 Ağustos

Rafting Maceramız

Sabah Carol'la Dale'ın hazırlanışlarını duydum, ama kalkamadım. Yeniden derin bir uykuya dalmışım.

Uyandığımda, Jay ve Dean henüz kalkmamışlardı. Bebek gibi, mışıl mışıl uyuyorlardı. Bir süre izledim onları. Nasıl da masum görünüyorlardı... Hayret, bu iki çocuğu gerçek kardeşim gibi seviyordum! Hele Dean, benim için Amerika'daki Sinan'dı sanki...

Ben hazırlanırken uyandılar. Bir şeyler atıştırıp saat 10.00'da yola çıktık.

Yirmi dakika sonra, metronun girişine varmıştık. Elimizde Carol'ın çizdiği kroki, Mary'nin evini aramaya başladık. Aradan yarım saat geçmişti ve biz hâlâ, geçtiğimiz yerleri yeniden arşınlıyorduk. Kaybolmuştuk!

Trafiğin tabelalarla yürütüldüğü bir şehirde, aranan yere ulaşmak bu kadar zor olmamalıydı. Ama Jay, suçu annesine yükleyerek, Minneapolis'te tur üstüne tur atıyordu.

Sonunda metro istasyonundan yardım istedik ve tabelalara baka baka ilerlemeye başladık. Gerisi çorap söküğü gibi geldi zaten...

Mary'nin evi, gerçek bir Amerikan malikânesiydi. Karşıdan bakınca iki katlı mı, yoksa üç katlı mı olduğuna karar veremedim. (Galiba iki buçuk kattı!) Değişik bir mimarisi vardı.

Çok geçmeden ben, Jay, Dean, Mary ve kızları Rachel'le Erin yola koyulmuştuk.

Az sonra Apple River'a vardık. Üç saat sürecek "rafting" maceramız başlıyordu... (Rafting, nehirde özel sallarla yapılan, eğlenceli bir su sporu.)

Lastik sallarımızı, halatlarımızı, içeceklerimizin bulunduğu buzluğu ve onu taşıyacak küçük salı alarak otobüse bindik. Beş dakika sonra, nehrin tepesine çıkmıştık.

Sallarımızı halatlarla birbirine bağladık. Kimi yerde alçalan, kimi yerde yükselen, ancak sürekli bir akıntıya sahip olan suya kendimizi bırakıverdik.

Güneş, yeşilin bin bir tonunu taşıyan ağaçlar ve maceralı bir nehir yolculuğu...

Alçak yerlerde kendimizi yükselterek, yaklaşan kayalara çarpmamaya çalışıyorduk. İlk acemilikle çarptığım büyücek bir kaya, dizimi çok acıttı. Neyse; sohbet ederek, güneşlenerek nehirde ilerlemeye başladık.

Bazen, nehrin iki yakasından birine takılıyorduk. Bu durumda, birimizin inip lastik salı itmesi gerekiyordu. Bir seferinde bu kurtarma işini ben yapacaktım ki; suyun içinde yere basmayı beklerken, "cup" diye derinlere batıverdim. Hiç bu kadar güldüğümü anımsamıyorum...

Derin bir noktaydı. Neyse ki bu noktalar fazla değildi. Bilek hizasını geçmeyen su, dize kadar gelebiliyor, bazen de daha derinleşebiliyordu.

Yolun yarısında yemek molası verildi. Raftinge katılan kalabalığın arasında "nehir pikniği" yapmak, başlı başına bir zevkti.

İkinci bölümde, suyun çok hızlı aktığı, yüksek bir yere geldik. Buradan, kendimizi aşağıya bırakıverecektik. Müthiş bir durumdu!

Kaygan zeminde yürüyerek lastik salı tepeye taşımak zor olsa da, bu heyecanı yaşamak için değerdi doğrusu... İlk kez, altı kişi birbirimize bağlıydık. İkincide, Jay'le ikimizdik. Üçüncüde yalnız (biraz ürkek!), dördüncüde yapayalnızdım...

Üzerimde Carol'ın beli geniş kot şortu vardı ve sırılsıklamdı. Ayağımdaki ayakkabılar da ıslanmış, sanki tonlarca ağırlığa ulaşmışlardı. Ama, harika eğlencemizin süsüydü bunlar; halimden şikâyetçi değildim...

Mary'nin evine dönünce, bize birer dilim pasta ve çikolata ikram ettiler. Pasta, Erin'in bir gün önceki doğum gününden kalmaydı. Çikolata da çalıştığı yerden Rachel'e, ayın en iyi çalışanı seçildiği için verilmişti.

Mary bana, Minnesota Üniversitesi'nin adresini verdi. Söylediğine göre, sınavsız öğrenci alınıyormuş, mutlaka başvurmalıymışım... O kadar uzun süre ailemden ve ülkemden ayrı kalmayı göze alamazdım. Gene de teşekkür ettim.

Dönüş yolunda daha az kaybolarak otelimizi bulduk. Şimdi odamızda, Carol ve Dale'in gelmelerini bekliyoruz.

Son Gecemiz...

Akşam, Normandy adında bir restoranda yemek yedik. Bu, Wilsonlarla yediğim son akşam yemeğiydi.

Üzerimize çöken ağır havayı kovalayıp elimizden geldiğince neşeli görünmeye çalıştık. Ama boşunaydı... Dile getirmesek de, hepimiz ortak bir hüznü paylaşıyorduk.

Çıktığımızda hava kararmış, şehrin tüm ışıkları yanmıştı.

"İşte gökdelenlerin gece görüntüsü!" dedi Mr. Wilson.

Gökdelenleri sevmiyordum ben! Gözümde, devasa birer taş yığınıydı her biri. Cansız ve ruhsuz... Oysa yeşillikler, mavilikler ve doğa öyle miydi ya? Benim sevdiklerim onlardı.

Ama gece, bu taş yığınlarına can vermişti sanki... Işıl ışıl aydınlatılmış gökdelenlerden caddeler yansıyan renk cümbüşü, gerçekten de göz kamaştırıcıydı.

Mr. Wilson, yarın sabah da şehirde biraz dolaşabileceğimizi söyledi. Uçağımın kalkış saati buna izin veriyordu.

Evet, gece bitmişti. Bu, bir bakıma Amerika maceramın da bitişi oluyordu.

Yarın sabah...

Bakalım, yarın sabah neler yaşayacağız?

8 Ağustos

Artık Ayrılık Zamanı

Ne yapacağımı bilemiyorum!

Öyle karmaşık duygular içindeyim ki... Tüm benliğimi sarıp sarmalayan bu duygular beni aşıyor artık...

En iyisi, bu anlamlı güne en başından başlayayım.

Sabah, heyecandan olsa gerek, en önce ben uyandım. Biraz sonra da Mr. Wilson kalktı.

Hazırlanıp beraberce aşağıya, kahvaltı salonuna indik. Mermer bankonun üzerine dizilmiş bin bir çeşit yiyecekten gözümüze hoş görünenleri seçip tepsilere doldurduk ve odamıza döndük.

Gerçek bir aile sıcaklığı içinde, neşeyle kahvaltımızı yaptık. Ayrılık hüznünün bizleri sarmasına izin vermiyorduk henüz...

Sonra Carol'la beraber, onun toptan mal alacağı alışveriş merkezine gittik. Carol, mikilerle dolu bölümde fotoğraf çekmek istediğimi biliyordu. Beni doğruca oraya götürdü.

Bu bölümün sahibi yaşlıca, tonton bir adamdı. Beni görünce yanına çağırdı ve denemem için mikili bir tişört uzattı.

Şaşırmıştım. Çünkü, burada satış yapılması kesinlikle yasaktı. Kararsız halim, bu şirin adamı güldürmüştü.

"Umarım uyar," diyerek, giyinmem için beni odaya itiverdi.

Giyinip çıktığımda, okulumu ve çanta taşıyıp taşımadığımı sordu. Yanıtımı beklemeden, mikili bir sırt çantasını elime tutuşturuverdi.

Dilim tutulmuş gibiydi. Carol'a döndüm. Olanları gülerek izliyordu.

Evet, bunların hepsi armağandı! Carol onların iyi bir müşterisiydi. Beni de "Türkiye'den gelen kızım!" diye tanıtmıştı. Üstelik, mağaza sahibinin torununa çok benziyordum... Bu kadar şey bir araya gelince, bana armağan vermeyeceklerdi de kime vereceklerdi?...

Teşekkür edip kapıya doğru yürürken, tekrar durdurulduk.

"Sevdiğin renk?"

Önce mavi, mikili bir anahtarlık uzatıldı. Bunu, kırmızı renkli bir diğeri izledi.

Mikilere gömülmüş bir halde otele döndüğümüzde, kapıyı açan Mr. Wilson'ın şaşkınlığı, Carol'la beni çok güldürdü.

Bu arada bütün çantalarım arabaya taşınmış, bırakmayı düşündüğüm şampuan, saç jölesi gibi ayrıntılar bile paketlenmişti. Otelden ayrılabilirdik artık...

Yol boyunca, arabada hiç kimse, tek bir söz söylemedi. Ben de ne diyeceğimi bilemediğimden, ister istemez bu suskunluğa boyun eğdim.

Havaalanına geldiğimizde saat 10.30'du. Bavul ve çantaların kontrolü için beklerken, "Prenses!" diyen bir sesle irkildim. Bu, kamp arkadaşım Peter'dı.

Kampta, kültürel programda yaptığım konuşma çok hoşuna gitmişti ve bana, "Sen prenses olma özelliklerine sahipsin," demişti. "Eğer İsveç'te yaşasaydın, prensesimiz olabilirdin."

Ben de ona, "Benim prenseslikte gözüm yok," demiştim. "Sade bir Türk kızı olarak yaşamak, bana yetiyor..."

Gene de beni prenses diye çağırmayı sürdürmüştü.

Peter'ın yanında Maria da vardı. O da İsveç'tendi ve beraberce ülkelerine dönüyorlardı. Sarmaş dolaş, bir süre özlem giderdik.

Bu arada bagaj kontrolümüz yapıldı. Üçüncü çantamı, ancak sekiz dolar fark vererek geçirebildim.

Güvenlik bölümüne doğru yürürken, birisi koluma dokundu: Amerikalı kamp arkadaşımız Erin'di. Peter'ı, Maria'yı ve beni uğurlamaya gelmişti. Bana, kendi ördüğü bilekliklerden birini armağan etti.

Kamp arkadaşlarımı bir kez daha görebilmek, hoş bir sürprizdi benim için...

Ve... sonunda ayrılık zamanı geldi çattı!

Ağlamayacağımı sanıyordum. Çünkü, günler öncesinden, kendi kendime karar vermiştim. Dişimi sıkıp onlara gülerek el sallayacaktım. Hepsinin aklında, en neşeli halimle kalmak istiyordum.

Ama yapamadım!

"İşin bu kısmını hiç sevmem!" diye kıpkırmızı bir suratla ağlamaya başlayan Carol, beni de peşinden sürükledi.

Uzun bir süre birbirimize sarılı kaldık. Sonra sırayla, Mr. Wilson, Jay ve Dean'la kucaklaştım. Gözyaşlarımı kontrol edemiyordum artık...

Jay'in, "İşte şimdi gideceğine inandım!" demesi bile beni durduramadı. Gülecek halde değildim...

Erin, bizim son fotoğraflarımızı çekti. Fotoğraf makinemde kalan tek filmi, gerçek kardeşlerim gibi sevdiğim Jay'le Dean'a bırakmıştım.

Sonunda zamanımız tükendi! Gitmem gerekiyordu... Kapıda uçuş kartımı kontrol ettirdim. Ve geriye dönüp son kez baktım onlara...

Dale Wilson gözlerini siliyordu, suratı kıpkırmızıydı. Ağlıyordu!

Onun bu hali beni çok etkiledi. Çünkü Carol, bir konuşmamızda, "Dale'in ağladığını hiç görmedim!" demişti.

Uçağa girip çantamı yerleştirdim. Sonra, koridoru hızla koşup onlara bir kez daha sarılmak istedim.

Geç kalmıştım! Kapılar çoktan kapanmıştı...

Yerime oturdum. Boğazımda kocaman bir yumru vardı sanki.

Hostesin getirdiği tepeleme dolu tepsiyi bir el hareketiyle geri çevirdim. Gözlerimi kapattım...

Artık evime, aileme ve ülkeme kavuşmaktan başka bir şey düşünmek istemiyordum...

10 Ağustos

Anneme ve Babama Mektuplar...

Kanatlarım olsa, mutluluktan uçabilirim... Çünkü evimde, annemle, babamla ve canım kardeşimle beraberim.

Dün havaalanında, babamın kollarına öyle bir atladım ki, neredeyse ikimiz birden yerlere yuvarlanıyorduk. Sonra annem... sonra Sinan...

Ne kadar özlemişiz birbirimizi... Ben onların yüzüne bakmaya doyamıyorum. Onlar da durup durup beni kucaklıyorlar.

Hele Sinan'ın, yanaklarımdan öperken, "Mis gibi abla kokuyor!" demesi o kadar hoş ki...

Şu anda karşımda oturmuş, gazete röportajlarımı inceliyorlar. Çektiğim yüzlerce fotoğraf da kucaklarında... Biraz önce, radyo programının kasetini dinledik. Daha onlara anlatacak o kadar çok şeyim var ki...

Bu arada, Carol ve Dale Wilson'ın annemle babama gönderdikleri mektuplar açıldı. Bunlar, yaklaşık iki aylık Amerika gezimin raporlarıydı sanki...

Carol diyordu ki:

"...Her şeyden önce, harika bir kız çocuğu yetiştirdiğiniz için sizi kutlamalıyım.

(Abartılı övgüleri kısa geçiyorum!)

:.. Renan, ailemize çok iyi uyum sağladı. Yalnız bizi değil, karşılaştığı genç yaşlı herkesi etkilemesini bildi.

Onun yaşında, öğrenmeye bu kadar hevesli bir insan az bulunur. Burada, yapmadığı iş kalmadı: Fasulye tarlasında çalıştı, çilek topladı, çocuk baktı, balık tuttu, su kayağı yaptı, golf öğrendi... Neye elini attıysa, hepsini başardı.

Bunlardan da önemlisi, bize Türkiye'yi anlattı ve sevdirdi. Bugüne kadar, ülkesini bu derece iyi tanıyan ve seven bir konuğumuz olmamıştı. Tüm bildiklerini ve Türkiye tutkusunu, büyük bir beceriyle bizlere yansıttı.

O, gerçek bir Türk elçisiydi!..."

Satırlarını, "Renan'ın Amerika'daki annesi" diye bitiriyordu Carol...

Çok duygulandım.

Mr. Wilson'ın mektubu ise şöyleydi:

"... Satırlarıma, kızınızı ailemizle paylaştığınız için teşekkür ederek başlamak istiyorum. Beraber geçirdiğimiz yaz tatili, onun varlığıyla güzelleşti.

...Renan, kısa zamanda ailemizin bir üyesi oldu. Öyle de kalacak!

O, bizim Türkiye'deki kızımız; oğullarımın da kız kardeşi...

Bir eğitimci olarak, Renan'da gördüğüm ilk özellik, çok sıcakkanlı olmasıydı. Herkese dostça davranıyor ve kolayca arkadaşlık kurabiliyordu. Tüm kasaba, onu çok sevdik!

...Renan burada çok önemli bir görevi yerine getirdi. Kasabamızın insanlarına Türkiye'yi tanıttı. O gelmeden önce, pek çoğumuz, ülkeniz hakkında en ufacık bir bilgiye sahip değildik. Ama artık, sizi ve ülkenizi çok iyi tanıyoruz. Hepimiz Renan'dan çok şeyler öğrendik...

İnanınız ki, ancak gerçek bir elçi, ülkenizin tanıtımını bu derece kusursuz yapabilirdi. Onunla ne kadar gurur duysanız azdır..."

Bu mektuplar, beni bir an için Amerika'ya taşıyıverdi. Bana öz annem, babam ve kardeşlerim gibi davranan Wilsonları hiç unutmayacaktım...

En hoşuma giden de, benim için "Türk elçisi" demeleriydi.

Gerçekten de "elçi" olabilir miydim acaba?

Neden olmasın?

Bu konuyu, şöyle enine boyuna, iyice bir düşünmeliyim...

En Güzeli Benim Ülkem!

Akşam yemeğinde, annemin yaptığı kıymalı tepsi böreğinden yedim. Nefisti! Bir bardak da buz gibi ayran... İşte iki aydır özlediğim damak tadı!

Biraz önce yürüyüşten döndük. Annem, babam, kardeşim ve ben... Onlarla bir şeyleri paylaşmak ne kadar hoştu...

Trafik, her zamanki gibi gürültülüydü. İnsanlar öfkeliydi, yüzleri gülmüyordu. Her gördükleri yabancıya, "Merhaba," diye selam da vermiyorlardı.

Kim bilir, belki evlerine götürecekleri ekmeği düşünüyorlardı, belki de hastaları vardı ya da bambaşka sorunları...

Onlar, benim insanlarımdı! Bana benzeyen, koyu renk saçlı, kahverengi gözlü; benim güzel insanlarım... Hepsini çok seviyordum!

Caddelerin iki yanında gökdelenler sıralanmamıştı. Yeşillikler ortasında, tek katlı lüks evler de yoktu. Ama, beni sarıp sarmalayan tatlı sıcaklık var ya... İşte o, dünyalara bedeldi!...

Çünkü burası havasını soluduğum, suyunu içtiğim, benim cennet yurdum Türkiye'mdi. Ve ben ona âşıktım!

Şu anda çok mutluyum...

Benim yerim burası!

İçimden dalga dalga yükselen gür bir ses, "En güzeli benim ülkem!" diye haykırıyor.

En güzeli benim ülkem...

Yazar Üzerine

Ankara'da doğdu. Ankara Üniversitesi Eczacılık Fakültesi'nden mezun oldu. Değişik edebiyat türlerindeki yarışmalarda dereceler ve ödüller aldı.

• *Kelebek (Hürriyet)* gazetesinin senaryo yarışmasında Birincilik Ödülü / *Oğlum* (Eser fotoroman olarak çekildi.)

• I. Ulusal Nasrettin Hoca Gülmece Öykü Yarışması'nda 1. Mansiyon / *Dedektiflik Bürosu*

• İnkılâp Kitabevi'nin Aziz Nesin Gülmece Öykü Yarışması'nda basılmaya değer görülen *İster Mor, İster Mavi* kitabıyla **Türkiye'de mizah öyküleri kitabı olan ilk kadın yazar** unvanı

• BU Yayınevi'nin Çocuk Öyküleri Yarışması'nda 1. Mansiyon / *Sevgi Yolu*

• Rıfat Ilgaz Gülmece Öykü Yarışması'nda Birincilik Ödülü / *Sol Ayağımın Başparmağı*

• İzmir Büyükşehir Belediyesi Çocuk Romanları Ödülü / *Sokaklardan Bir Ali*

• İzmir Büyükşehir Belediyesi'nin Cumhuriyetin 75. Yılı Çocuk Öyküleri Ödülü / *Arkadaşım Pasta Panda*

• 10. Orhon Murat Arıburnu Ödülleri'nde uzun metrajlı film öyküsü dalında Birincilik Ödülü / *Akrep*

• İzmir Milli Eğitim Müdürlüğü'nden **2004 Yılı Köşe Yazarı Ödülü**

Yeni Asır (İzmir) gazetesinde iki yıl köşe yazarlığı yaptı.

Mimoza dergisinde Çuvaldız; *Kazete* adlı kadın gazetesinde Kazete-Mazete adlı köşelerde yazılar yazdı.

Öykü, roman, mizah ve çocuk edebiyatı çerçevesinde çok sayıda kitabı bulunmaktadır.

Yazarın Yayımlanmış Kitapları

- **Piraye**/ Roman, 23. Baskı
- **Yüreğim Seni Çok Sevdi**/ Roman, 18. Baskı
- **Eroinle Dans**/ Roman, 5. Baskı
- **Çikolata Kaplı Hüzünler**/ Öyküler, 5. Baskı
- **Söylenmemiş Şarkılar**/ Öyküler, 6. Baskı
- **Türkiye Benimle Gurur Duyuyor!!!**/ Mizah Öyküleri, 2. Baskı
- **İster Mor, İster Mavi** / Mizah Öyküleri, 3. Baskı (Aziz Nesin Gülmece Öykü Ödülü)
- **Sol Ayağımın Başparmağı** / Mizah Öyküleri, 3. Baskı (Rıfat Ilgaz Gülmece Öykü Yarışması Birincilik Ödülü)
- **Sokaklardan Bir Ali**/ Roman, 8. Baskı (İzmir Büyükşehir Belediyesi Çocuk Romanları Ödülü)
- **Oğlum Nasıl Fenerbahçeli Oldu?**/ Mizah Öyküleri, 8. Baskı
- **Fanatik Galatasaraylı**/ Mizah Öyküleri, Altın Kitaplar, 8. Baskı
- **Beşiktaş'ım Sen Çok Yaşa**/ Mizah Öyküleri, 4. Baskı

Canan Tan

- **Sevgi Yolu**/ Çocuk Öyküsü, 7. Baskı
- **Arkadaşım Pasta Panda**/ Çocuk Öyküsü, 6. Baskı (İzmir Büyükşehir Belediyesi, Cumhuriyetin 75. Yılı Çocuk Öyküleri Ödülü)
- **Sokakların Prensesi Şima**/ Çocuk Öyküsü, 6. Baskı
- **Beyaz Evin Gizemi**/ Çocuk Romanı, 8. Baskı
- **Ah Şu Uzaylılar**/ Çocuk Romanı, 4. Baskı
- **Yolum Düştü Amerika'ya**/ Gençlik Romanı, 2. Baskı

Fotoğraflar

4 Temmuz
Amerika'nın Bağımsızlık günü. Ben de geçit töreninin bir parçasıyım.

6 Temmuz
Yine geçit törenindeyim.
İşte yerel gazetede yer alan fotoğrafım.

11 Temmuz
Barbi bebek pastam.
Doğum günüm kutlu olsun!

11 Temmuz, Mr. Wilson'ın ellerine sağlık! Doğum günü pastalarım anlattığım kadar harika değil mi?

11 Temmuz, tüm Lakefield'in, benim doğum günümü kutladığı belli olmuyor mu?

11 Temmuz, armağan paketi açmak ne güzel!
(Arkamdaki de Wilsonlar'a Türkiye'den götürdüğüm halı...)

12 Temmuz, doğum günüm! Türkiye'yle ailemle
konuşuyorum. Bu sevincim ondan...

12 Temmuz
Yine mikrofon başındayım, yine konuşuyorum. Dilime kuvvet!

15 Temmuz
Amerikan mandaları (buffalolar) işte böyle kocamanlar...

18 Temmuz
Ben, Dean ve çocuk bakıcılığı yaptığım yumurcaklar...

21 Temmuz, Amerikalı, Japon ve Türk...
Uyumumuz hiç de fena sayılmaz!

21 Temmuz
CRAZY DAY! ÇILGIN GÜN!
En çılgın kim görünüyor?

21 Temmuz
Tekne keyfimiz de hiç fena değil doğrusu...

22 Temmuz
Kampçılar bir arada: 13 ülkeden 29 genç...

25 Temmuz, Willmar'daki radyo istasyonu. Bir grup arkadaşımla beraber programa çıkmaya hazırlanıyoruz.

31 Temmuz
Göl kenarındaki kulübeden sevgilerle...

8 Ağustos, Disneyland falan değil! Mağazanın
MİKİ bölümü...

8 Ağustos, Wilsonlar'dan ayrılmadan topluca çektirdiğimiz son fotoğraf.